KB080964

페트로막스 & 베이퍼룩스 & 틸리 랜턴 지침서

발 행 | 2024년 07월 12일
저 자 | 이준혁
펴낸이 | 한건희
펴낸곳 | 주식회사 부크크
출판사등록 | 2014.07.15.(제2014-16호)
주 소 | 서울특별시 금천구 가산디지털1로 119 SK트윈타워 A동 305호
전 화 | 1670-8316
이메일 | info@bookk.co.kr

ISBN | 979-11-410-9499-7

www.bookk.co.kr

캠핑과 들살이 속 빈티지 랜턴과 알라딘 난로에 취미를 둔지가 10여년이 넘어간다.
허름한 작업장을 만들어, 동일한 취미와 지인들을 만나면서 아쉬운 부분이 있다면 빈티지 랜턴에 관해,
어느정도 정비와 수리 방법에 대한 기본서적이 있었으면 하는 작은 바램으로 만들어진 책 이다.
저자 역시 아마추어지만, 내가 알고있는 지식 내 에서 풀어냈기에 책 내용 전반에 걸쳐 오류가 많을거다.
다만, 빈티지 랜턴을 좋아한다면, 가벼운 길라잡이 서적 정도로 봐주면 좋겠다.
아울러, 화기를 만지는 작업이기에 주변에 소화기와 방염포 하나는 꼭, 준비하여 사전에 안전사고를 예방하는 차원에서 즐거운 취미생활을 누렸으면 한다.

이 준 혁.　　TEL : 010 - 3492 -0661

1975년 출생. 서울과학기술대학교 (구)서울산업대학교 공업디자인학과 졸업.

서울산업대학교 Universal Design 석사.

2024년 6월 02일 : 알라딘 난로 지침서 탈고.

2023년 5월 09일 : 페트로막스 & 베이퍼룩스 & 틸리 랜턴 지침서 탈고.

2022년 8월 27일 : 콜맨 가솔린 랜턴 지침서 탈고.

2013년 ~ 2024년 : Zac up Zhang / 작업장 - 취미공방운영

가압식 랜턴 / 빈티지 랜턴과 난로 / 알라딘 난로 전문수리로 현재까지.

2014년 ~ 2024년 : 영국제 알라딘난로 복원에 관심 현재까지.

2009년 ~ 2024년 : 가압식 랜턴에 빠져 현재까지.

2008년 ~ 2024년 : 캠핑시작으로 진행형.

2006년 ~ 2018년 : 서울과학기술대학교 (구)서울산업대학교 외 출강.

https://blog.naver.com/hb0661

https://www.instagram.com/junhyuck75

〈목 차〉

역사편
&
베이퍼룩스 랜턴 단면도

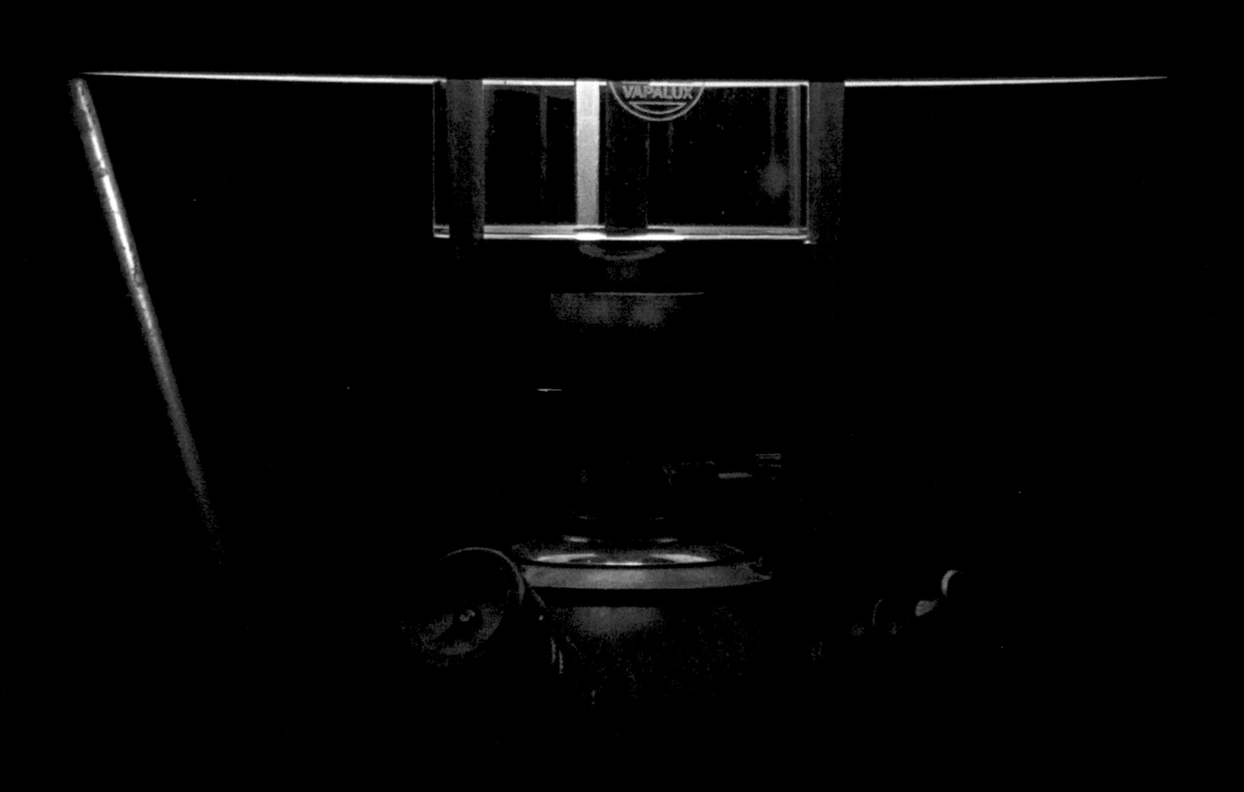

< 베이퍼룩스 (Vapalux) 역사 >

* 1897년 : 창립자는 회장의 아버지이자 전무이사인 알프레드 베이츠(ALFRED BATES)다. 알프레드 베이츠(ALFRED BATES)는 버밍엄에서 금속 방적 기술을 배웠으며, 그 곳에서 주로 가로등용 램프 상단 부품생산을 위한 사업체를 설립 후, 요크셔주 핼리팩스(YORKSHIRE, HALIFAX)로 이전한다. 알프레드 베이츠(ALFRED BATES)는 램프 도금 작업을 소유한 C. WILLIS와 협력하여, 윌리스 앤 베이츠 (WILLIS & BATES)라는 회사를 설립한다.

* 1912년 : 맨틀이 있는 파라핀 가압식 랜턴의 생산을 시작으로, 1914년까지 가로등 장치 및 필라멘트 생산해 왔다. 이후, 윌리스 앤 베이츠 (WILLIS & BATES) 사는 랜턴을 만들 수 있는 프레스 금형기계들을 이용하여, 압력식 랜턴 사업을 이어나가기 시작 한다.

* 1920년 : 독일의 페트로막스와 하청계약을 맺는다.

* 1925년 : 틸리와 하청계약을 맺는다.

* 1938년 : 히틀러 독일과의 국제 관계(전쟁) 때문에 페트로막스와 협력을 중단한다.

* 1940년 : 'Vapalux' 라는 상표로 자체 가압식 랜턴을 생산하기 시작한다.
  - 하청 노하우로 페트로막스의 외관과 틸리의 버너형태를 섞은 베이퍼룩스 (Vapalux)의 고유 디자인이 탄생 한다.

* 1941년 : 이 브랜드는 Vapalux 300 랜턴이 영국 군대의 표준 랜턴이 되면서 군납품으로 크게 성장한다.

* 1946년 : 윌리스 앤 베이츠 사는 영국계 미국인 랜턴 제조사인 'IMBAR RESERCH' 사인 "IR" 브랜드와 제휴 한다.
  - 'IMBAR RESERCH' 사의 약자인 'IR'브랜드로 짧은 시기 'IR BOWL HEATER', 'IR LANTERN' 를 생산 한다.
  - 'IMBAR RESERCH' 사는 짧은 'IR' 이라는 브랜드로 생산 및 판매하다가, 영국의 알라딘 인더스트리(Aladdin Industries Ltd.) 사에 합병 된다.
  - 비알라딘 (Bialaddin) 이라는 브랜드로 랜턴을 생산 & 판매를 했으나, 당시 군에 납품하는 랜턴에는 'Vapalux' 라는 이름을 그대로 유지 한다.

- 비알라딘 (Bialaddin) = 바이퍼룩스 (Vapalux) 동일한 랜턴을 만드는 회사다.
- 영국 랜턴의 양대 산맥이자 경쟁자였던 틸리와 윌리스 앤 베이츠 사는 베이퍼룩스 (Vapalux) 랜턴이 만들어지면서 시작 되었다.

* 1952년 : 윌리스 & 베이츠 사는 프랑스에 정착하여 비알라딘 400F 랜턴으로 비알라딘 305 랜턴을 생산하려고 했다. (비알라딘 400F 랜턴과 비알라딘 305 랜턴의 외형 모습은 거의 똑같다.)
* 1968년 : 윌리스 앤 베이츠 사와 알라딘 사의 파티너쉽 관계는 1968년에 끝나고, 비알라딘(Bialaddin)은 결국, 역사속으로 사라진다. 이후, 윌리스 앤 베이츠 사는 다시, 베이퍼룩스 (Vapalux)라는 이름으로 독자적인 랜턴 생산을 가동 한다.
* 1997년 : 베이퍼룩스(Vapalux)는 베어스토우 브라더스에 매각되어, 2010년까지 생산을 지속 한다.
* 2010년 ~ 현재 : 베이퍼룩스(Vapalux) 사는 대한민국에 매각되어, 현재는 대한민국 경기도 부천시에 회사를 설립 후, 원재정 대표 부부 내외분께서 지속적으로 제조 및 생산 되어지고 있다. 영국에서 사용하던 모든 기계들과 도면, 공장내 먼지 한톨까지 들고와 옛방식 그대로 생산 및 업그레이드를 시켰다. 생산물량의 절반 이상이 일본으로 수출 되어지고 있다.

** (내용에 오류가 있을 수 있음을 밝힙니다.)

1938년 ~ 1941년 : Vapalux E41 랜턴 탄생.

1938년 ~ 1946년 : Vapalux 300X 랜턴 / (Vapalux HD44 랜턴).

1940년대 후반 : Vapalux 21C 랜턴.

1950년대 중반 ~ 1960년대 : 비알라딘 310 랜턴.

1970년 ~ 1979년 단종 : Vapalux M1 랜턴.

1979년 ~ 2023년 : Vapalux M320 랜턴외 다수 생산중.

VAPALUX M320 랜턴

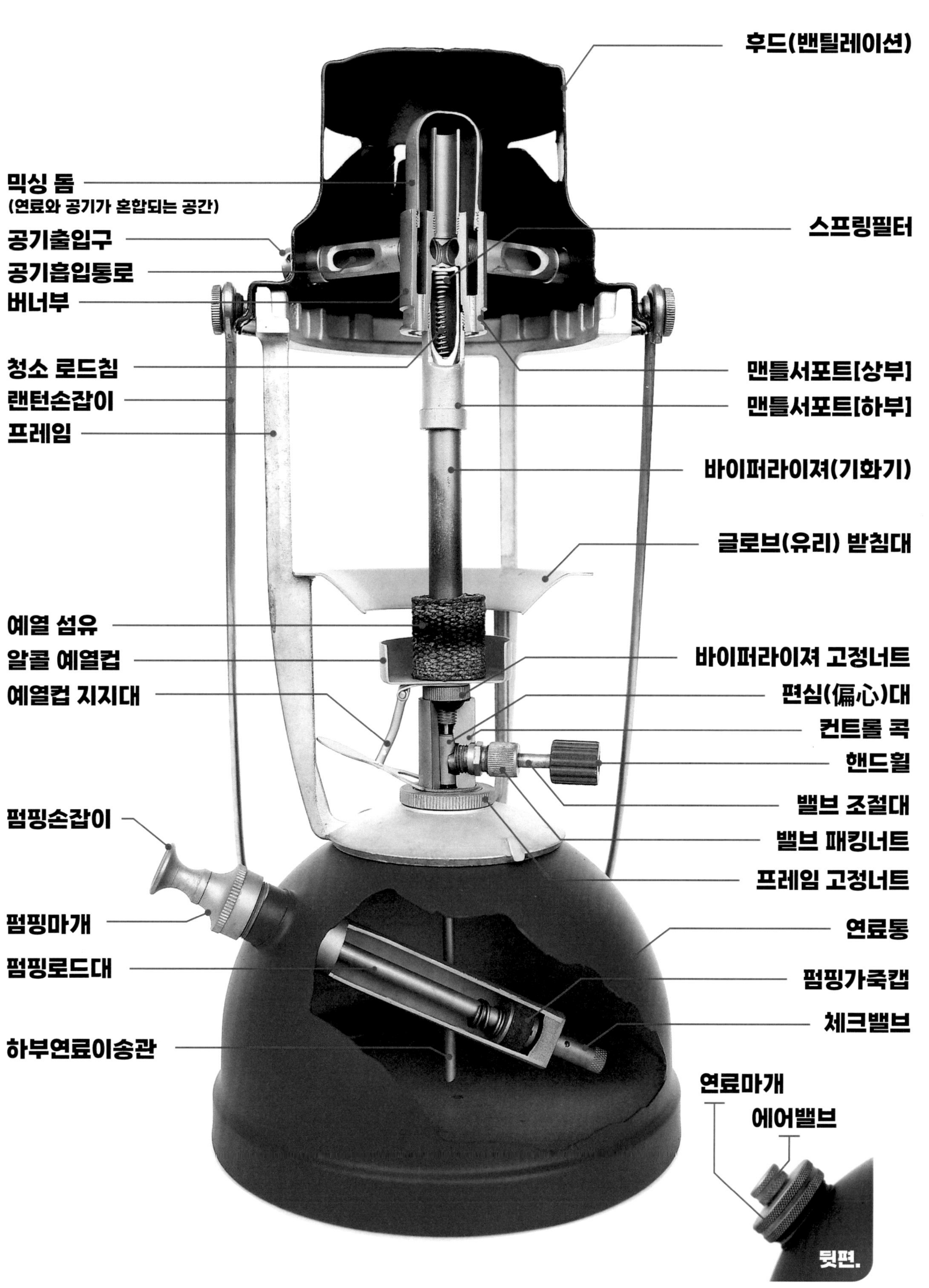
후드(밴틸레이션)
믹싱 돔
(연료와 공기가 혼합되는 공간)
스프링필터
공기출입구
공기흡입통로
버너부
청소 로드침
맨틀서포트[상부]
랜턴손잡이
맨틀서포트[하부]
프레임
바이퍼라이져(기화기)
글로브(유리) 받침대
예열 섬유
알콜 예열컵
바이퍼라이져 고정너트
예열컵 지지대
편심(偏心)대
컨트롤 콕
핸드휠
밸브 조절대
펌핑손잡이
밸브 패킹너트
프레임 고정너트
펌핑마개
연료통
펌핑로드대
펌핑가죽캡
체크밸브
하부연료이송관
연료마개
에어밸브
뒷편.

VAPALUX M320 랜턴

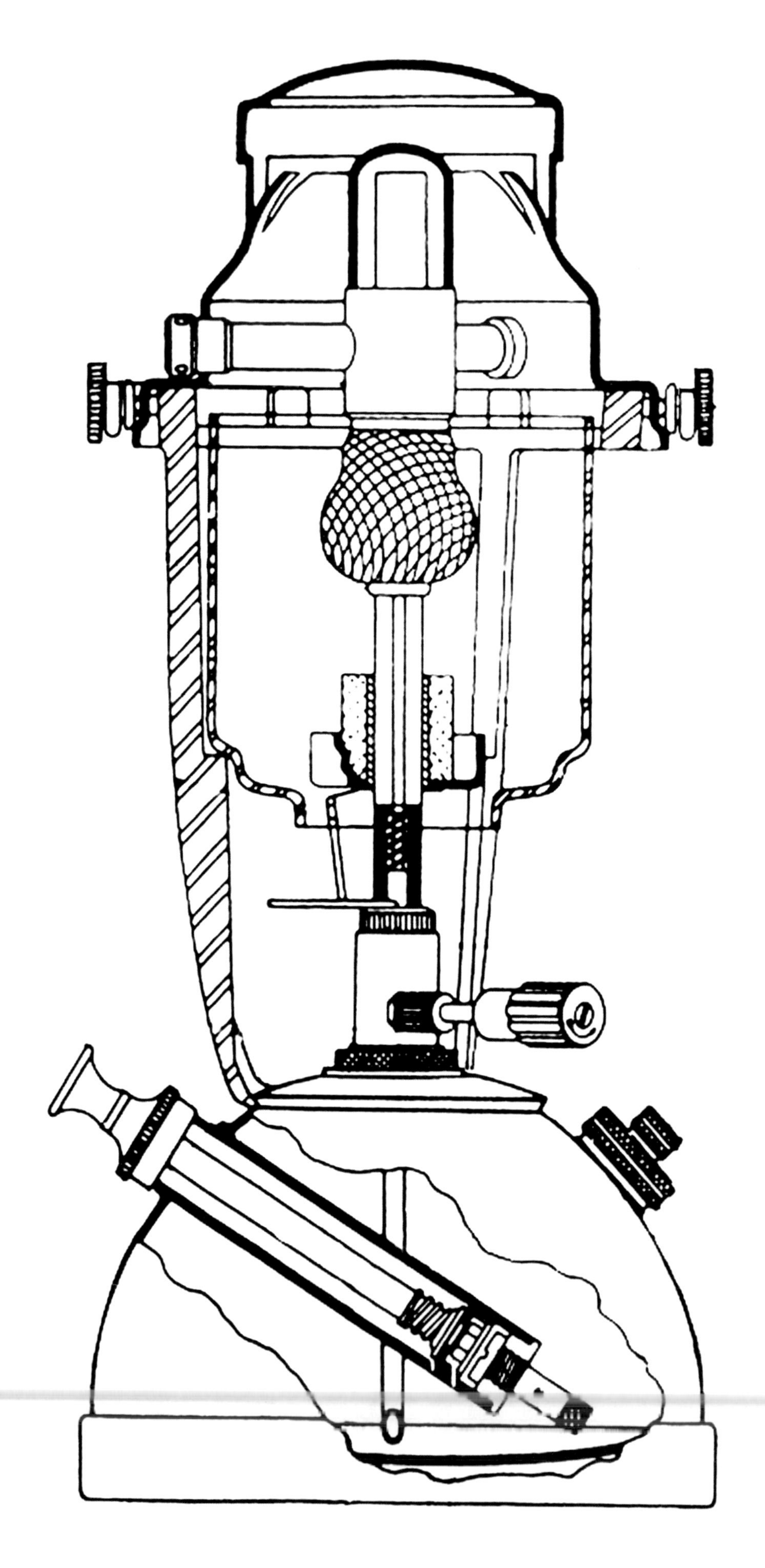

VAPALUX 버너부

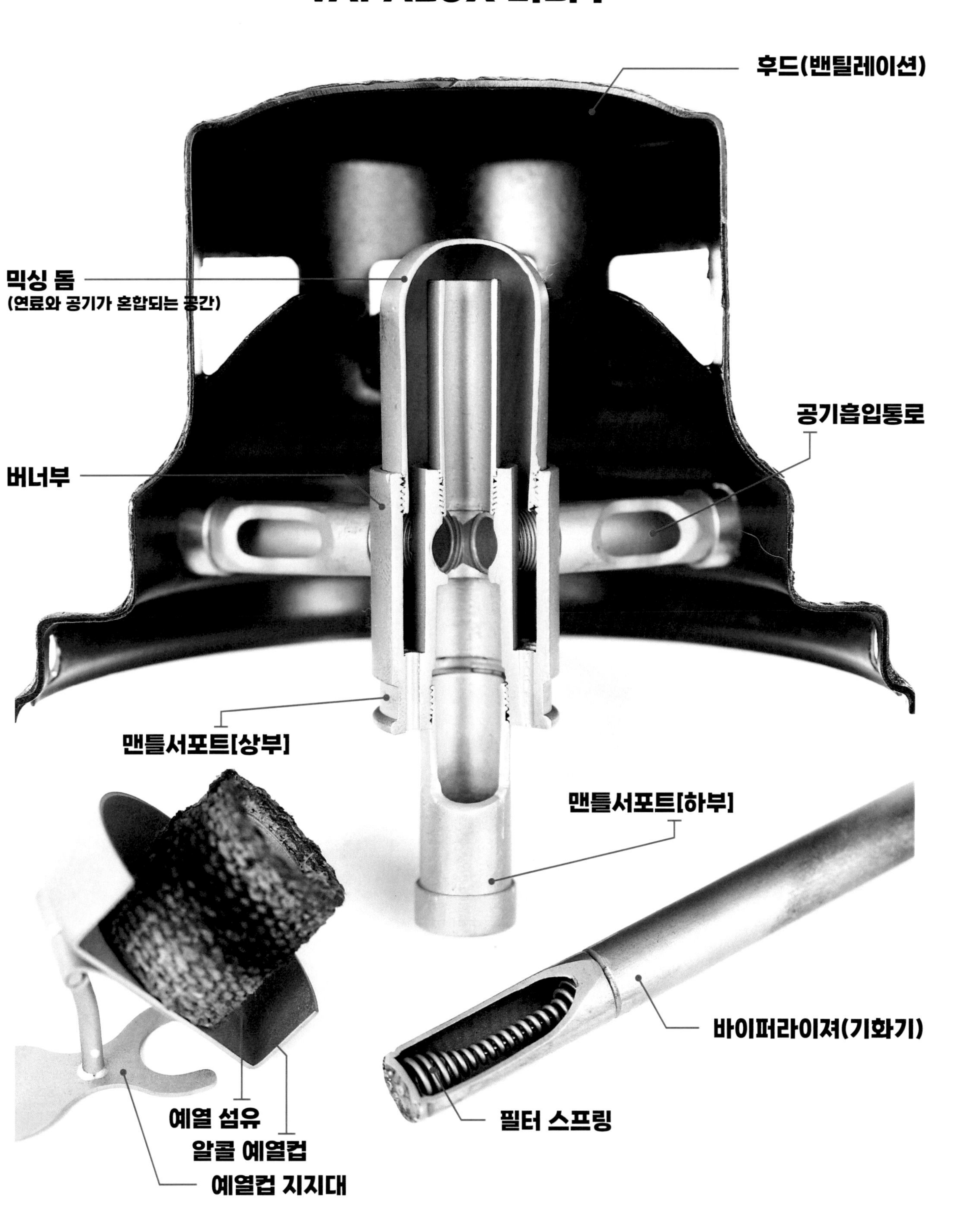

범랑 후드부에 체결된 버너부 모습.

VAPALUX 버너부

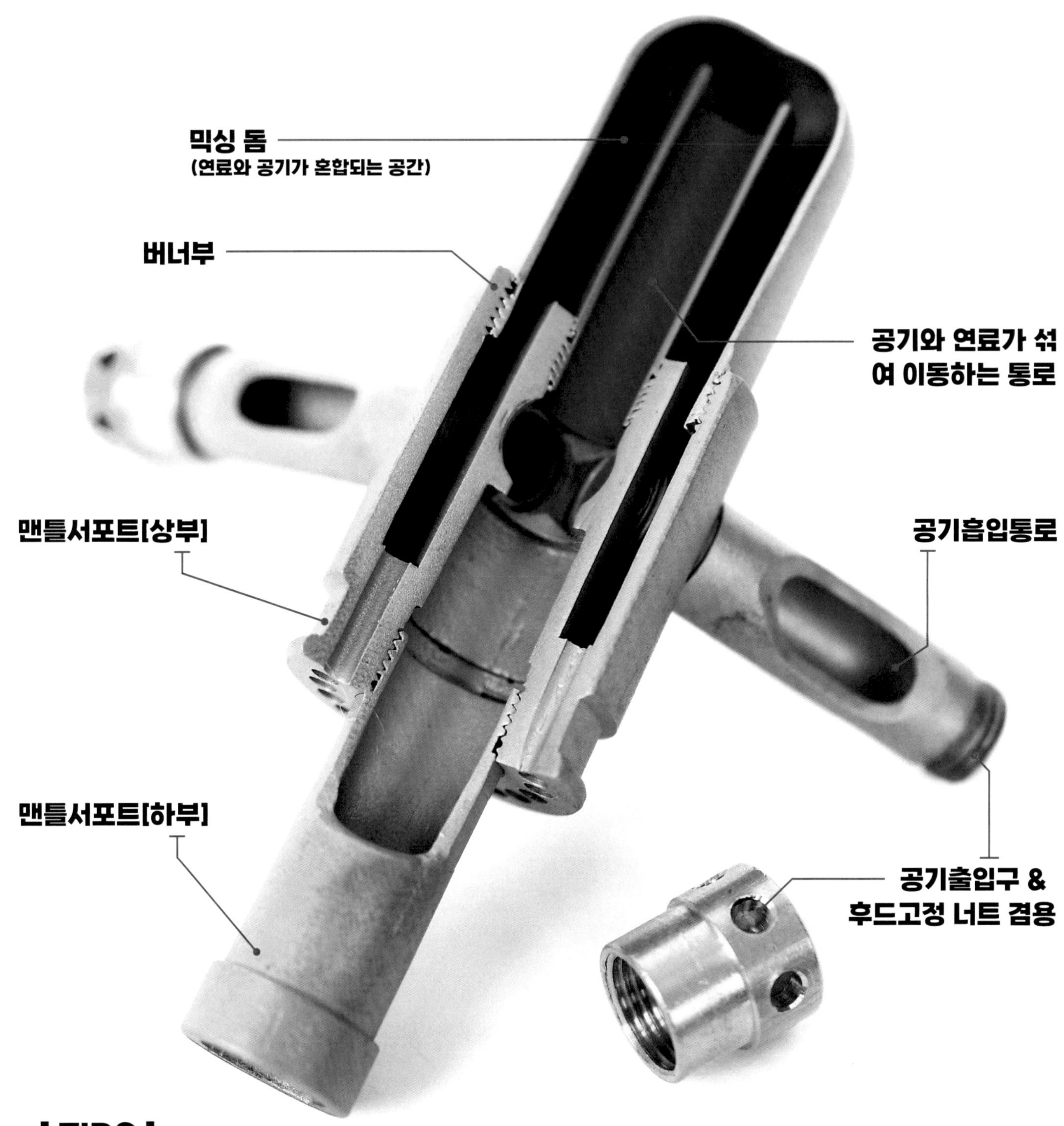

[TIPS]

베이퍼룩스 랜턴를 사용하다보면, 불안전 연소나 화염에 휩싸이는 문제가 발생하기도 한다. 그 대표적인 증상을 보면, 크게 두가지로 나눌 수 있다. 다른 등유 랜턴들보다 단순한 구조와 원리를 갖추고 있으며, 고장 부위는 바이퍼라이져의 오랜사용으로 카본이 축적되어 제기능을 못하는 상황과 버너부의 고열로 인한 풀림이 주된 원인이다.

바이퍼라이져의 오랜 사용으로 문제를 일으켰을 때는 새부품으로 교체하는게 가장빠른 방법이다. 버너부의 문제는 고열용 멘더(내화 접착제)를 바르거나 동용접으로 땜을 해서, 아예 고열에 풀리지 않게 붙여 버리는 작업으로 해결할 수 이다.

VAPALUX 버너부 작동원리

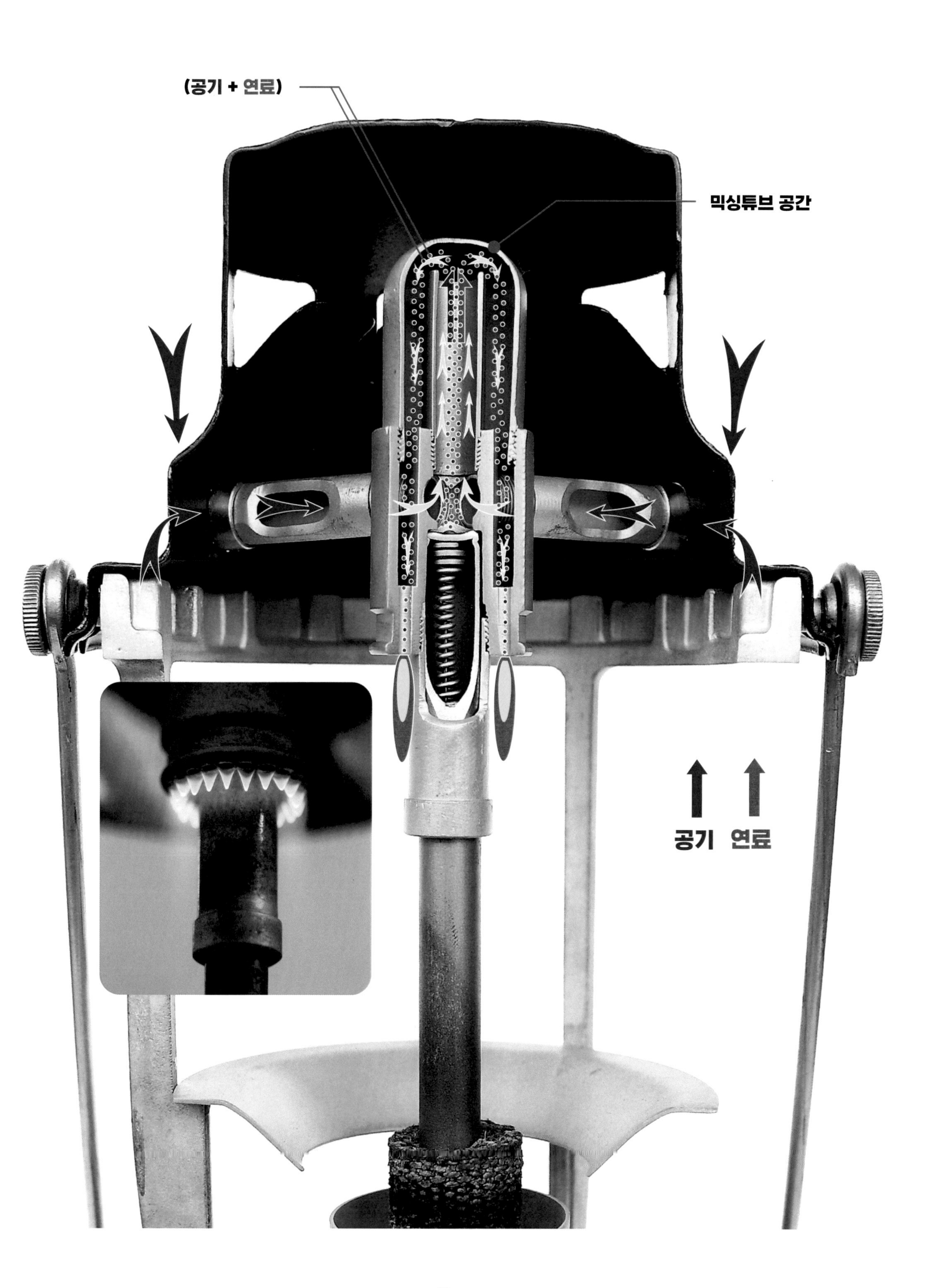

Willis & Bates 사의 VAPOURISER (기화기)

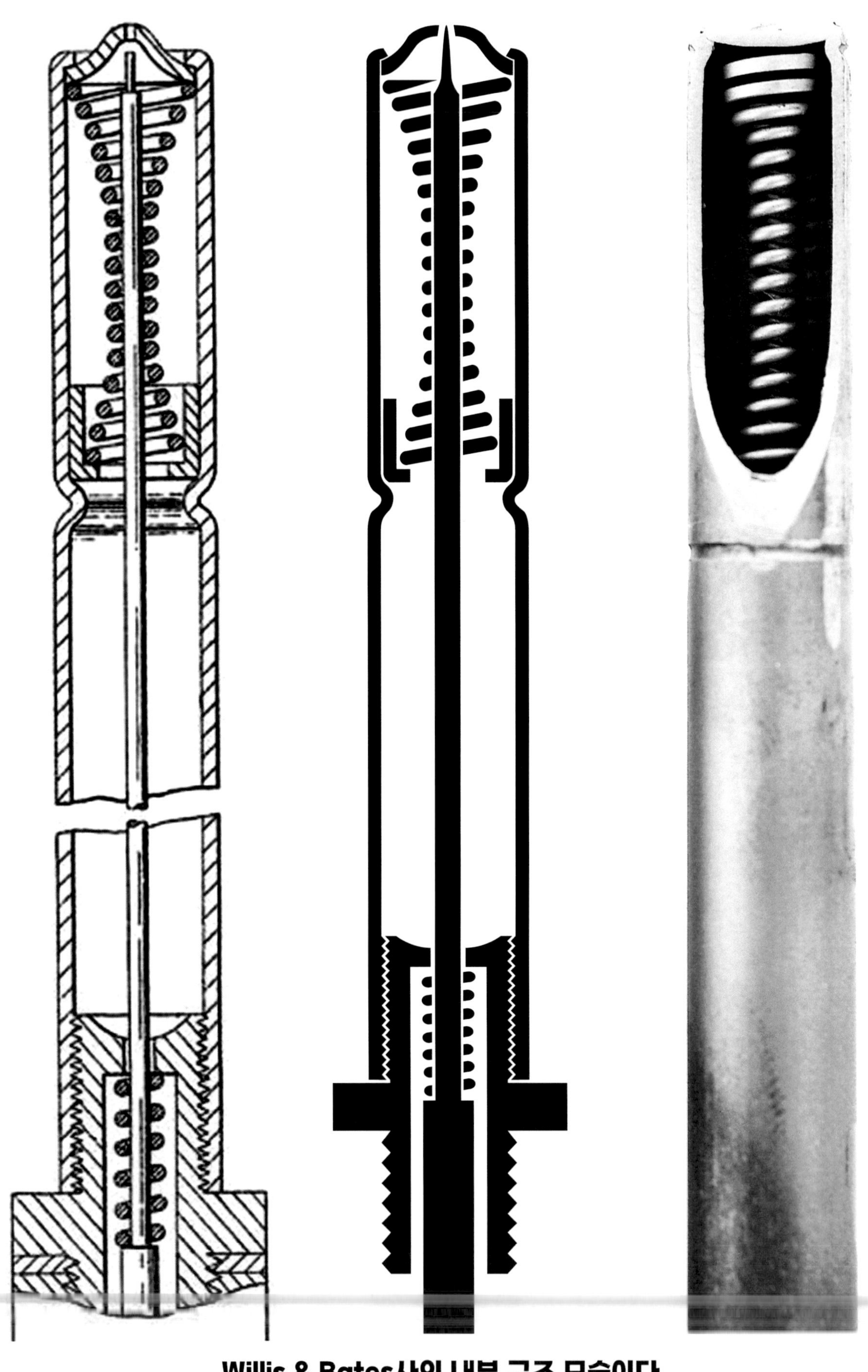

Willis & Bates사의 내부 구조 모습이다.

Willis & Bates 사의 VAPOURISER (기화기)

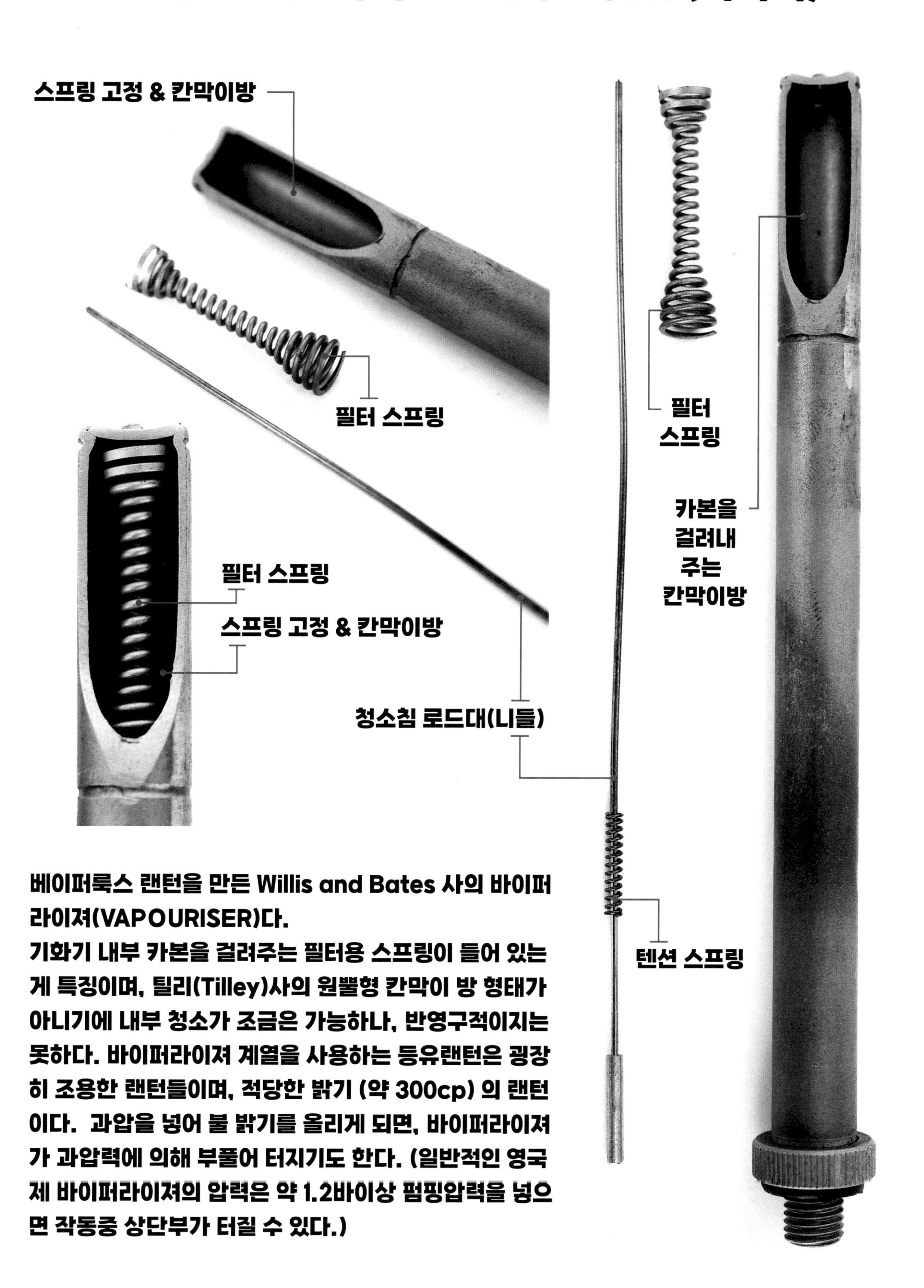

베이퍼룩스 랜턴을 만든 Willis and Bates 사의 바이퍼라이져(VAPOURISER)다.
기화기 내부 카본을 걸러주는 필터용 스프링이 들어 있는 게 특징이며, 틸리(Tilley)사의 원뿔형 칸막이 방 형태가 아니기에 내부 청소가 조금은 가능하나, 반영구적이지는 못하다. 바이퍼라이져 계열을 사용하는 등유랜턴은 굉장히 조용한 랜턴들이며, 적당한 밝기 (약 300cp) 의 랜턴이다. 과압을 넣어 불 밝기를 올리게 되면, 바이퍼라이져가 과압력에 의해 부풀어 터지기도 한다. (일반적인 영국제 바이퍼라이져의 압력은 약 1.2바이상 펌핑압력을 넣으면 작동중 상단부가 터질 수 있다.)

Tilley사의 VAPOURISER (기화기)

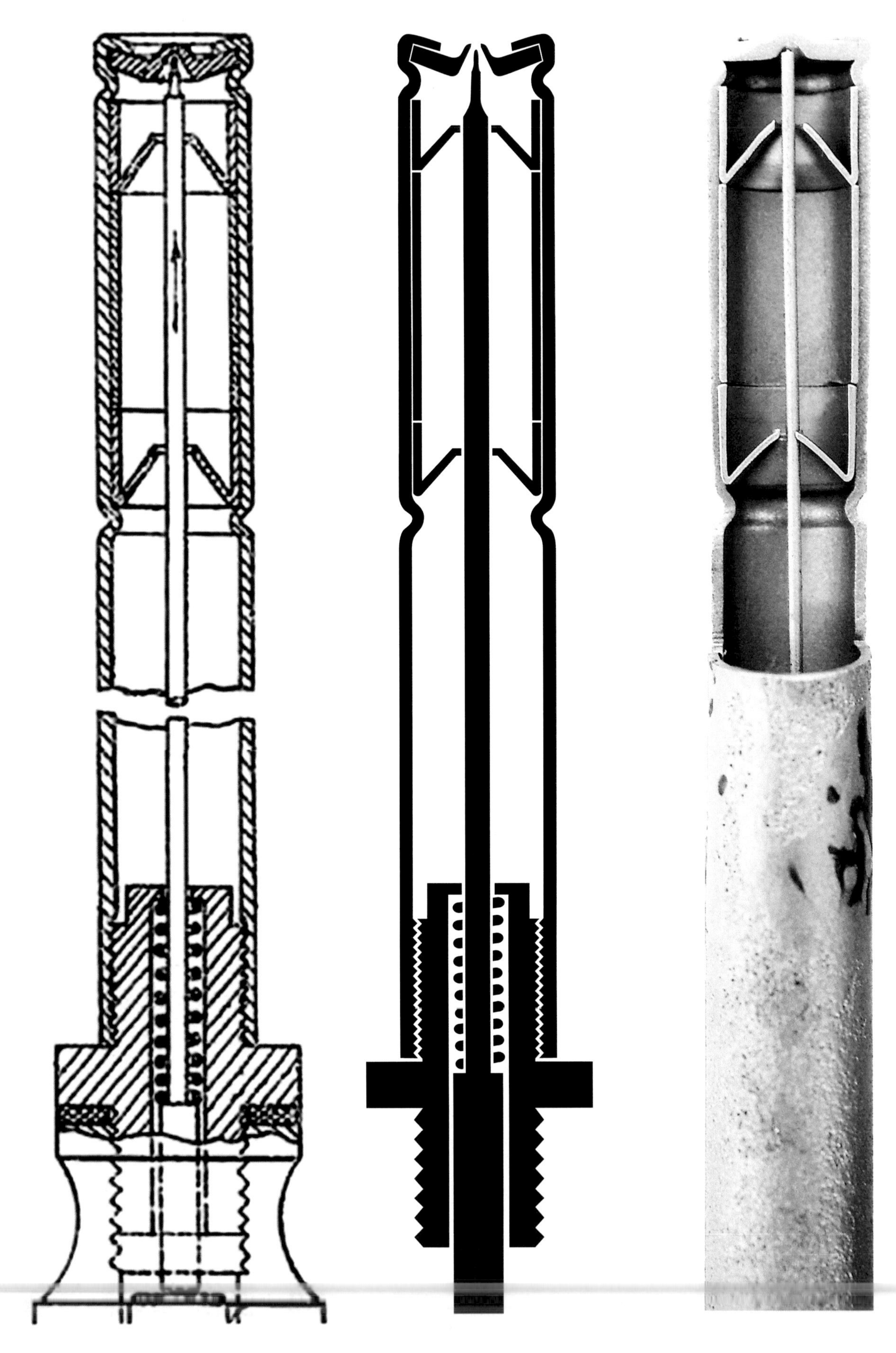

Tilley사의 내부 구조 모습이다.

* Tilley랜턴 X246B 랜턴 소개에서 다시 한번 나옵니다.

Tilley사의 VAPOURISER (기화기)

Tilley사에서 제작되어진 바이퍼라이져(VAPOURISER)다.
내측부 원뿔형 칸막이 방이 존재하며, 청소로드 (니들대) 대가 관통하여 지나간다. 이 원뿔형 칸막이방 내부에 카본이 쌓이며, 축척되면서 바이퍼라이져의 수명은 점점더 줄어든다.

바이퍼라이져(VAPOURISER)는 소모품이다. 오랜 사용 후, 내측부에 쌓여 축척된 카본을 강제로 크리닉 작업을 하는 방법은 큰 효과를 얻지 못한다.

바이퍼라이져계열을 사용하는 등유랜턴은 굉장히 조용한 랜턴들이며, 약 300CP 밝기의 랜턴이다. 과압을 넣어 불 밝기를 올리게 되면, 바이퍼라이져가 과압력에 의해 부풀어 터지는 현상이 발생하기도 한다.

지나친 과압을 넣어 사용중 터진 모습.

(오랜사용으로인한 카본이 쌓여 터지기도 한다.)

과압으로 터져버린 바이퍼라이져 (VAPOURISER)를 절단한 내측부의 모습이다. (내측에 쌓여 있던 카본은 제거한 상태)

카본을 걸러내 주는 칸막이방

국내에서 제작되어 시판되어졌던 바이퍼라이져 (VAPOURISER) 다. 유일하게 과압을 넣어도 터지지 않는 재질과 원뿔형 칸막이 방이 있는 형식의 기화기이다.(일반적인 영국제 바이퍼라이져의 압력은 약 1.2바 이상 펌핑압력을 넣으면 작동중 상단부가 터져 맨틀 써포트 라인에 꽉 끼어, 난처한 상황이 발생하기도 한다.)
현재 국내에서 제작 및 판매되어지는 대체품 바이퍼라이져 중, 상단부 가스팁(니플)을 교체하는 방식은 절대로 구매하지 않는게 정신건강에 이롭다.(400도가 넘는 고열속 버너부안 교체형 가스팁은 풀려버린다.)

* Tilley랜턴 X246B 랜턴 소개에서 다시 한번 나옵니다.

VAPALUX 컨트롤 콕 & 연료이송관

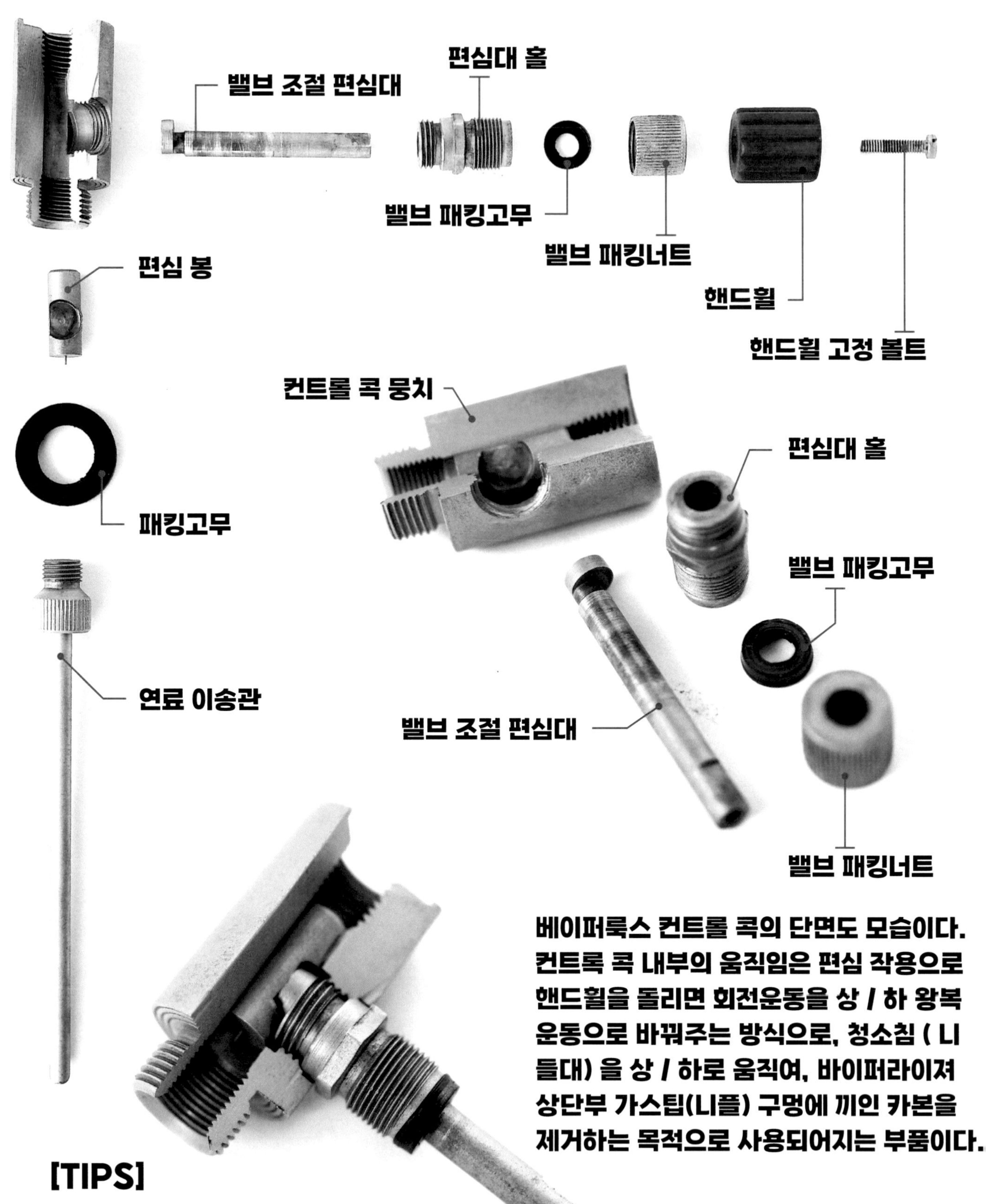

베이퍼룩스 컨트롤 콕의 단면도 모습이다. 컨트록 콕 내부의 움직임은 편심 작용으로 핸드휠을 돌리면 회전운동을 상 / 하 왕복 운동으로 바꿔주는 방식으로, 청소침 (니들대) 을 상 / 하로 움직여, 바이퍼라이져 상단부 가스팁(니플) 구멍에 끼인 카본을 제거하는 목적으로 사용되어지는 부품이다.

[TIPS]

베이퍼룩스 컨트롤 콕의 핸드휠을 오른쪽으로 돌려도, 등유를 차단하는 역할을 하지 못한다.
연료이송관 하부에 연료차단밸브가 없기 때문이다.
컨트롤 콕은 청소침(니들대)를 올리고 내리는 동작으로 바이퍼라이져 상단 가스팁(니플)의 이물질 제거작업을 수행하는 역할을 한다.

VAPALUX 컨트롤 콕 & 연료이송관

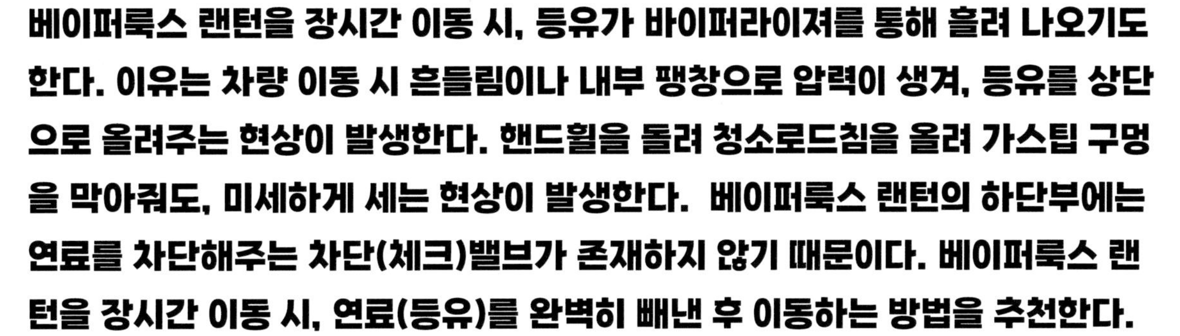

[TIPS]

베이퍼룩스 랜턴을 장시간 이동 시, 등유가 바이퍼라이져를 통해 흘러 나오기도 한다. 이유는 차량 이동 시 흔들림이나 내부 팽창으로 압력이 생겨, 등유를 상단으로 올려주는 현상이 발생한다. 핸드휠을 돌려 청소로드침을 올려 가스팁 구멍을 막아줘도, 미세하게 세는 현상이 발생한다. 베이퍼룩스 랜턴의 하단부에는 연료를 차단해주는 차단(체크)밸브가 존재하지 않기 때문이다. 베이퍼룩스 랜턴을 장시간 이동 시, 연료(등유)를 완벽히 빼낸 후 이동하는 방법을 추천한다.

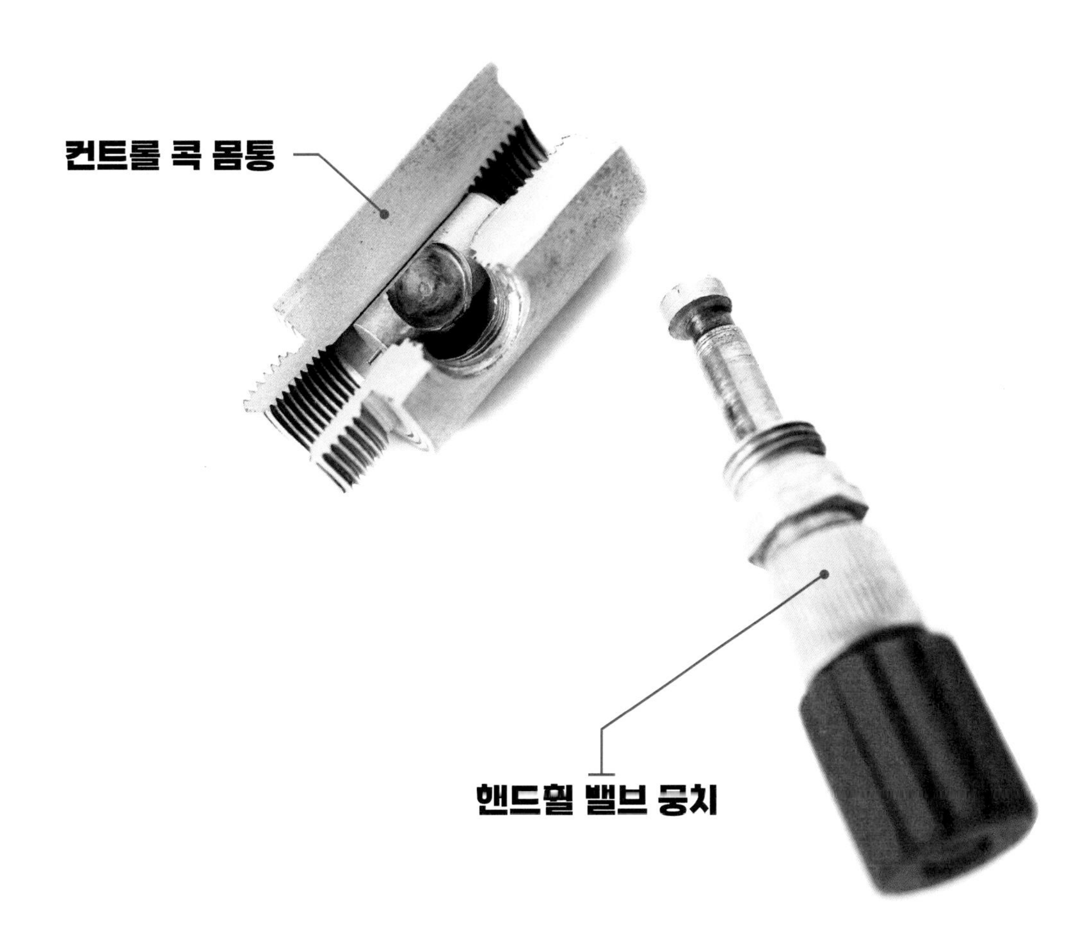

VAPALUX 컨트롤 콕 & 연료이송관

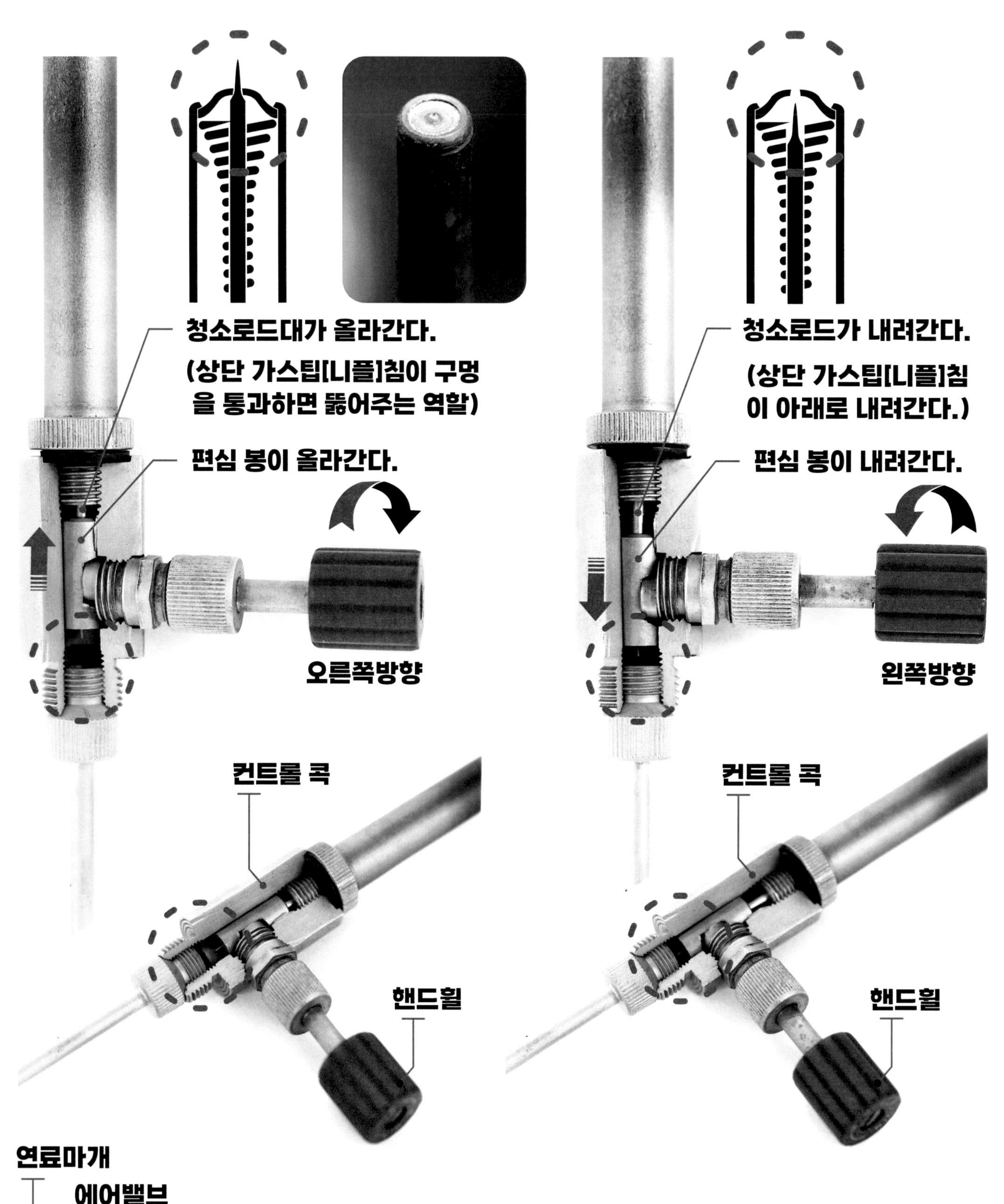

청소로드대가 올라간다.
(상단 가스팁[니플]침이 구멍을 통과하면 뚫어주는 역할)
편심 봉이 올라간다.
오른쪽방향
청소로드가 내려간다.
(상단 가스팁[니플]침이 아래로 내려간다.)
편심 봉이 내려간다.
왼쪽방향
컨트롤 콕
핸드휠
컨트롤 콕
핸드휠
연료마개
에어밸브

베이퍼룩스 컨트롤 콕 내측부 하단에는 연료를 차단해주는 밸브(체크밸브)가 따로 있지 않다. 연료통에 압력이 차 있으면, 연료 이송관을 통해 상단부로 올려준다. 연료를 차단하려면 연료통 마개에 있는 에어밸브를 열어서 압력을 빼내면 자연스럽게 연료가 하단 연료통안으로 내려가게 된다.

VAPALUX 펌핑로드대 부품도

베이퍼룩스 펌핑로드대 부품도 이다.
윗 분리해둔 부품순서가 조립순서와 동일하다.
다만, C 와셔를 끼운 후, 고정너트를 돌려 조립할때,
고정너트의 방향을 주의해서 끼워 고정시켜야 한다.

[TIPS]

베이퍼룩스 펌핑로드대 끝단의 가죽바킹 교체시, C형 와셔 (옆 트임)와 고정너트의 방향성이 있는 이유는 펌핑 시, 압축을 하여 공기를 밀어 넣은 후, 다시 펌핑로드대를 빼낼 때 진공 (압력)이 형성되지 않고 부드럽게 펌핑로드대가 올라오도록 하기 위한 공기의 '흐름통로' 라고 보면 된다.

VAPALUX M320 연료통

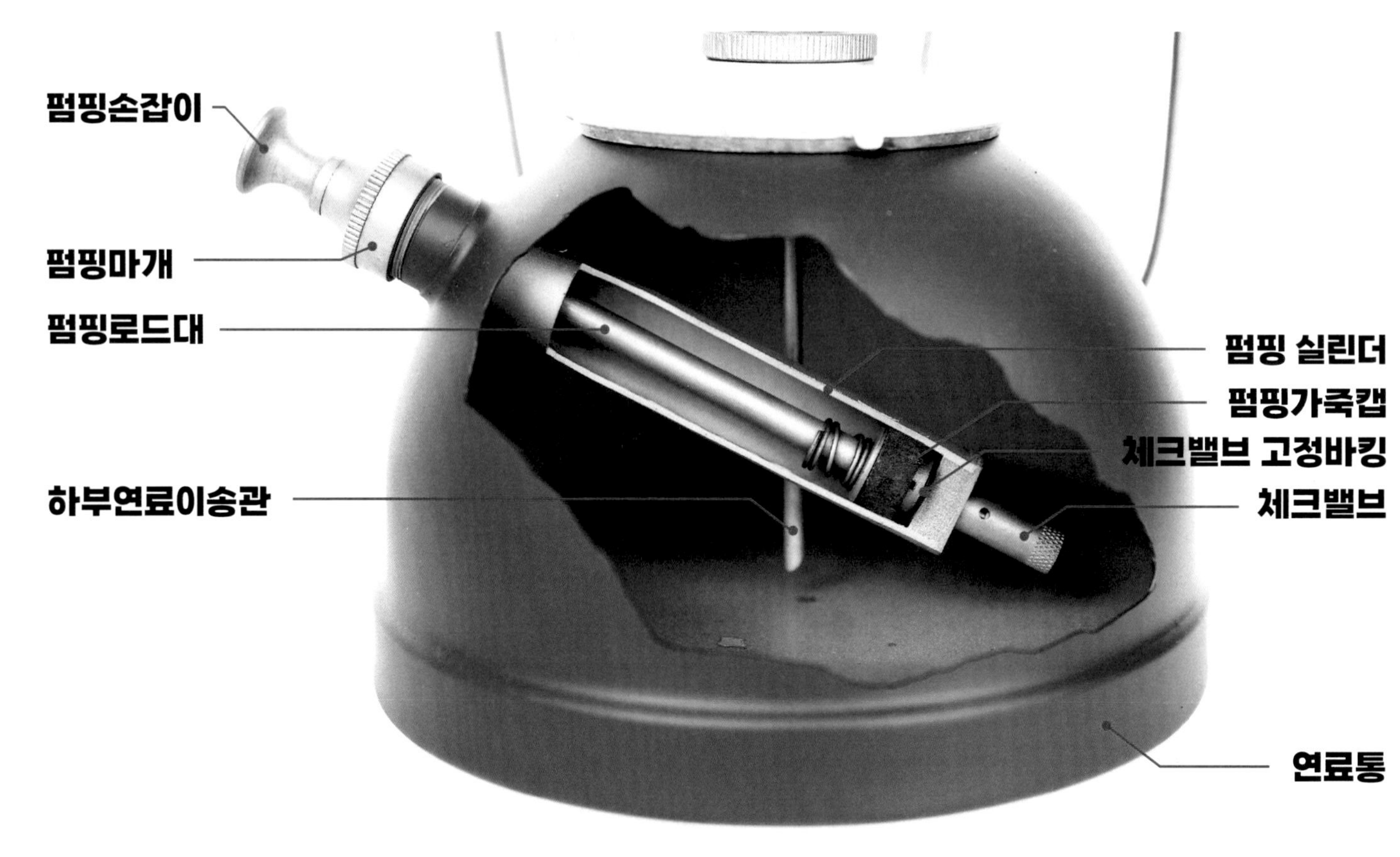

베이퍼룩스 연료통 재질은 황동재질이다.
아울러, 등유랜턴 중 연료통 두께가 상당히 두꺼운 편에 속하며,
부식 및 크렉에 강한 편이다. 실제, 부식이나 크렉이 난 연료통을
저자입장에서 구경해본적이 없다.

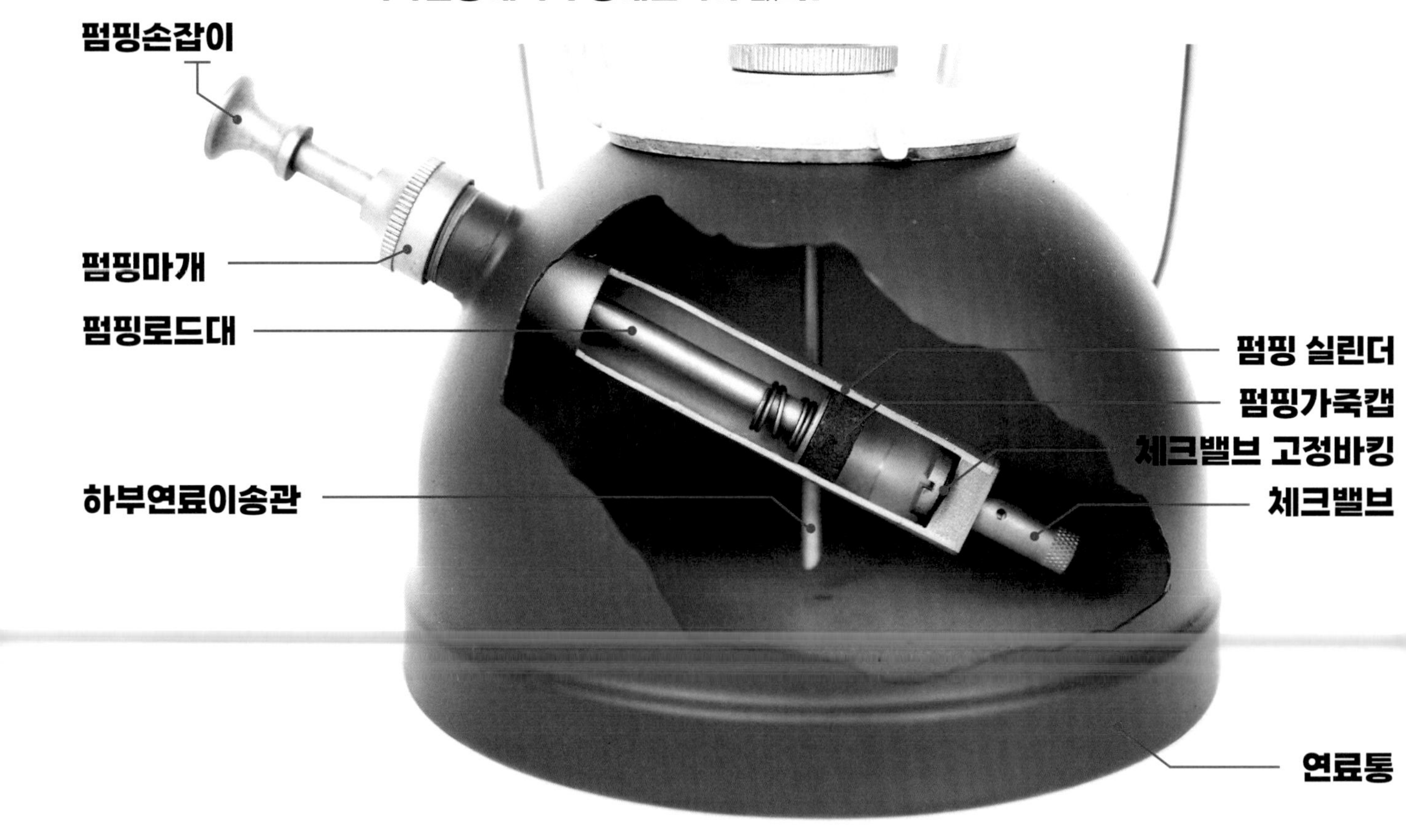

베이퍼룩스 커스터마이징 작업

1

전체 정비 및 오버홀 작업진행 예정이다.

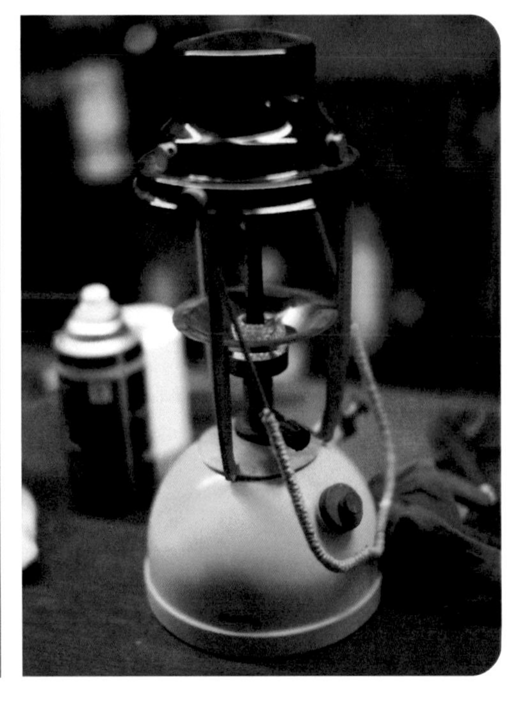

2

분해전 모습.

3

베이퍼룩스 320의 상단프레임을 돌려 자리를 잡아야 하기에 늘~ 저부분은 까짐이 발생한다.

4

각 부품들별 분해.

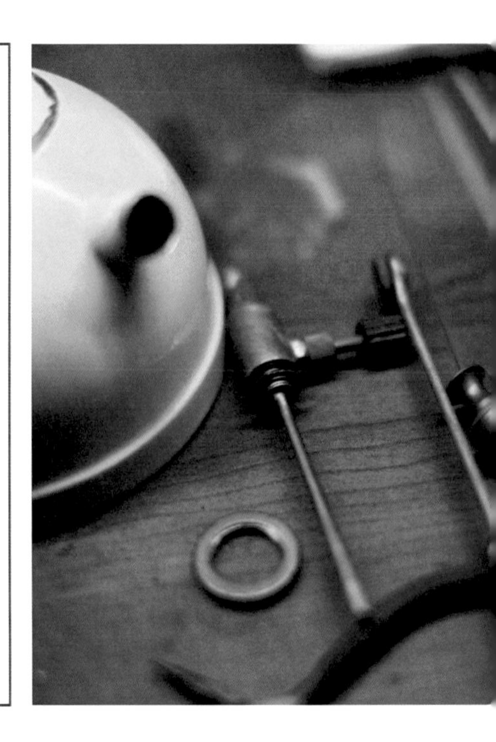

5

산화된 부분을 모두 털어낼 예정이다.

6

연료통의 도장을 털어내고, 전체 모래샌딩 작업으로 표면을 정리한다.

7

모래샌딩 처리
를 하면 도장부
견이 표면에 더
욱 단단하게
붙는다.

8

알루미늄 프레
임도 깨끗히 모
래샌딩 처리로
정리한다.

9

이동 손잡이 &
랜턴 고정부 너
트까지 모래샌
딩작업 후 모습.

10

버너부 라인
폴리싱 작업.

11

오버홀 후, 범
랑 후드부 에
체결을 한다.

12

13

연료캡 및 에어 밸브의 고무바 킹 교체 작업.

14

연료통 도장 완료 후, 가조립을 해본다.

15

버너부와 범랑 후드 체결확인.

16

연료통 도장면을 한번 더 확인해본다.

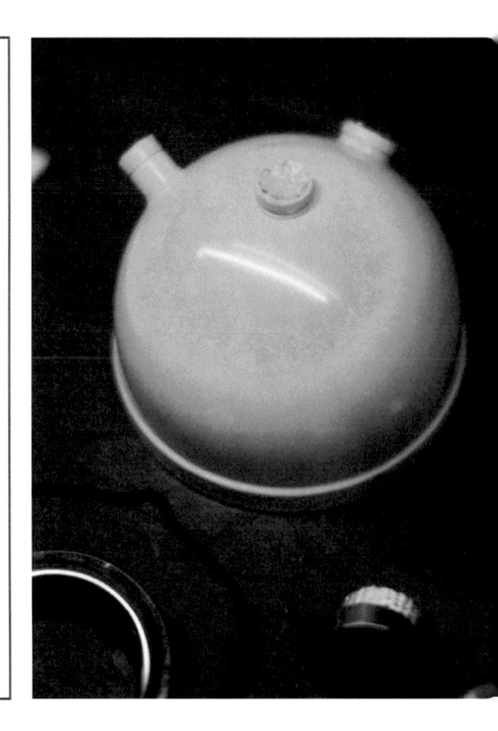

17

이동 손잡이 블랙 무광으로 도장.

18

각 부품들 폴리싱 작업 및 예열컵 내측 유리섬유 솜 교체.

19

상단 알루미늄 프레임도 폴리싱 작업으로 정리한다.

20

조립을 기다리는 각 부품들.

21

조립을 기다리는 각 부품들.

22

펌핑라인 오버홀 작업 차례다.

23

펌핑로드대 폴리싱 작업 후, 가조립을 해본다.

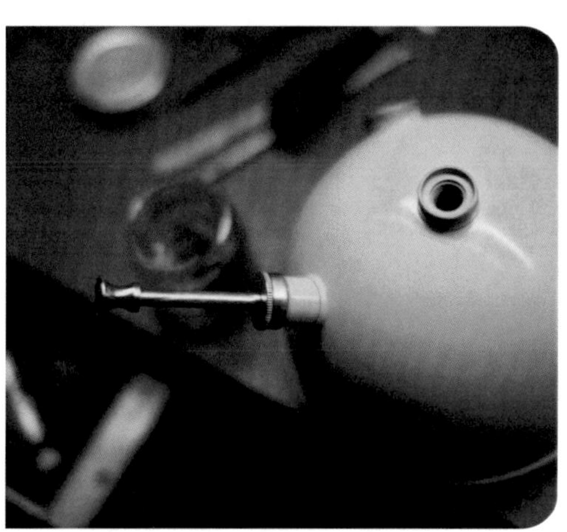

24

펌핑가죽바킹 교체 작업 전, 오일에 가죽바킹을 불린다.

25

가죽바킹에 오일관리만 잘해줘도, 반영구적으로 사용가능하다.

26

조립단계에 들어간다.

27

하부뭉치인 컨트롤 콕 하단부 고무바킹 체결.

28

컨트롤 콕 핸드휠의 길이때문에 상단프레임과 함께 체결시 동시에 돌려줘야 하기에, 연료통 도장면에 닿지않게 조심히 돌려 자리를 잡아야 한다.

29

하부뭉치인 컨트롤 콕의 조립이 완료 되었다면, 바이퍼라이져를 올릴 차례다.

30

바이퍼라이져 하단부에 고무바킹을 새로 끼운 후, 꽈악~ 돌려 끼워준다.

31

바이퍼라이져에 알콜예열컵을 끼운 후, 글로브 하단받침대까지 프레임에 올려 자리를 잡는다.

32

상단 범랑후드
부와 버너부를
기운후, 이동손
잡이까지 채결
을 하면 조립은
모두 완료된 상
태다.

35

베이퍼룩스 랜
턴 조립과 분해
는 크게 힘이 가
해지는 부분이
없다.

33

각 체결부위를
확인한다.

36

손 토크 즉, 손
가락 힘으로도
충분히 분해 조
립이 가능하다.

34

펌핑 손잡이의
재질도 황동이
다.

37

그러한 이유 중
하나가 바로,각
부품별 체결되
는 부위의 부싱
이 모두 고무재
질인 이유기도
하며, 전시 나
야외 사용시,
정비를 쉽게 하
기 위함으로 알
고 있다.

베이퍼룩스 M320 랜턴 정비

1

미사용 베이퍼룩스 M320을 만나본다.

2

글로브는 오목형 샌딩 유리로 끼워보고, 전체 찌든 황동때를 벗겨놓은 후 모습.

3

작업과정 이다. 각 부품들의 컨디션을 살리는 작업.

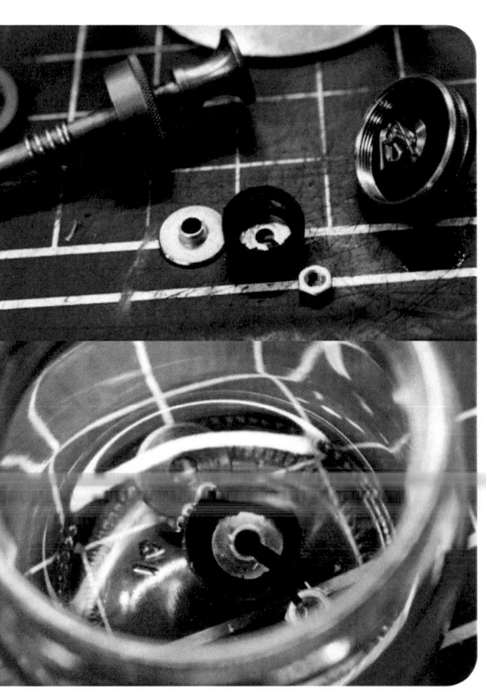

4

베이퍼룩스 M 320의 영국제 후반부 모델에 끼워져 있는 목링이다.

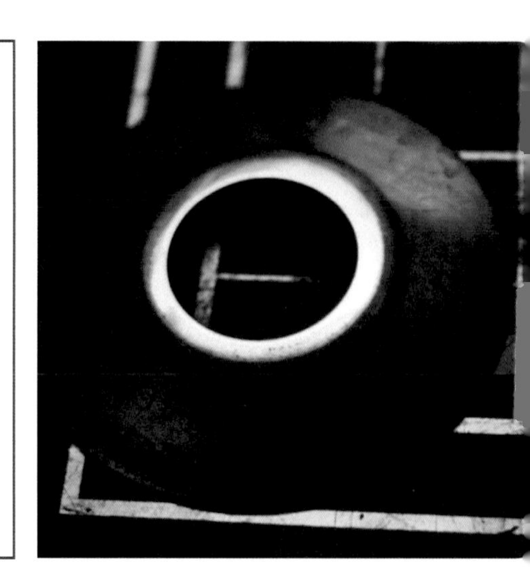

5

에어밸브 캡을 압력게이지 캡으로 변경.

6

황동 목링에는 생산년도가 각인되어 있어,태생를 확인 가능하다.

7

잉글랜드(영국) 2006년. 각인

8

광동 목링 각인
들.. 마지막 영
국제 버전의 목
링 재질은 알루
기늄으로 만들
어졌다.

9

미사용 베이퍼
룩스 M320에
첫불을 붙여본
다.

10

여름버전의 샌
딩 이미지가 빛
을 투과하여 야
자수나무와 티
피텐트 모습을
보여 준다.

11

갈매기와 옛 상
선 모습이 맨틀
의 불꽃에 일렁
인다.

12

바이퍼라이져
계열의 랜턴들
은 불빛이 은은
하다.

13

오랜만에 미사
용 랜턴에 불을
켜보는 즐거움
을 맛본다.

베이퍼룩스 커스터마이징 작업

1

전장 분해에
들어간다.

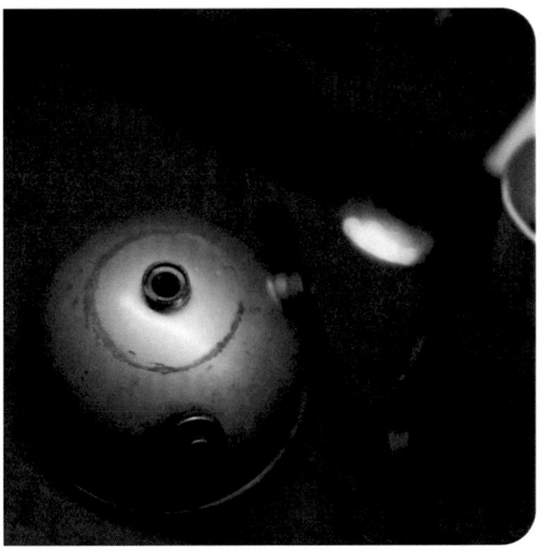

2

후드부

3

연료통 내부의
찌든 기름때와
슬러지를 모두
약품청소로 빼
낸다.

4

상단 프레임은
모두 모래샌딩
으로 털어내고,
도장 작업전 모
습.

5

내열페인트(노
랑)로 도장 작
업 후, 건조까
지 완료된 모습.

6

연료통 내부도
건조 후, 마스
킹처리, 모래샌
딩과 초벌 도장
에 들어간다.

7

부품들을 모두 폴리싱 작업 및 오버홀을 끝낸다.

8

구형버전의 알콜예열컵 아래에는 바이퍼라이져 하단부에 걸리는 걸쇠 비슷한 지렛대가 존재한다.

9

내유성 고무 부싱들을 모두 교체 작업에 들어간다.

10

하부로드 라인 내유성 고무재질 바킹의 사이즈 확인 및 교체 작업.

11

베이퍼룩스 랜턴 하단부의 연료 이송관 형태는 직관으로 체크밸브가 없다.

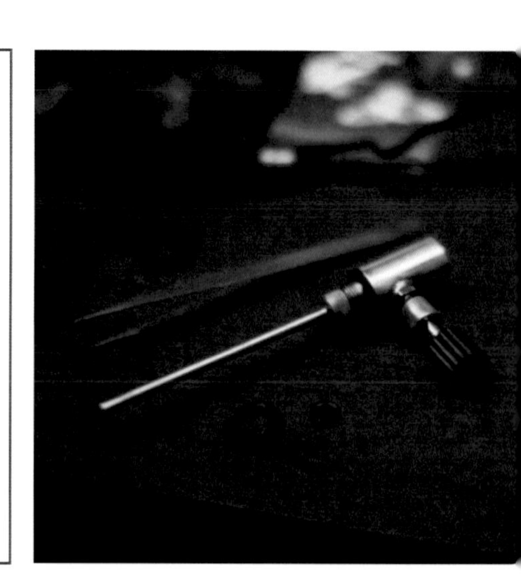

12

연료통 도장작업이 끝난 상태로, 하단 가죽 아데를 끼워 넣는다.

13

연료통에 상단 프레임과 하부 로드뭉치인 컨트롤 콕 부품을 고정 너트로 조립을 한다.

14

기존 찌든 바이퍼라이져를 새 부품으로 교체 픽업을 할 예정이다.

15

전장 조립 후, 맨틀(심지)를 매달고, 알콜 예열과 함께, 심지 태우기작 업에 들어간다.

17

베이퍼룩스 랜턴의 매력은 리플렉터를 끼워 넣어야 전체적인 아름다운 라인을 볼 수 있다.

16

충분히 반복예 열작업을 거친 후, 에어밸브를 잠근 상태에서 천천히 압력을 넣어 맨틀에 불을 인가한다.

18

조용하고 크게 눈부시지 않는 랜턴이며, 낮은 쉬~~소리를 들려주는 랜턴이다.

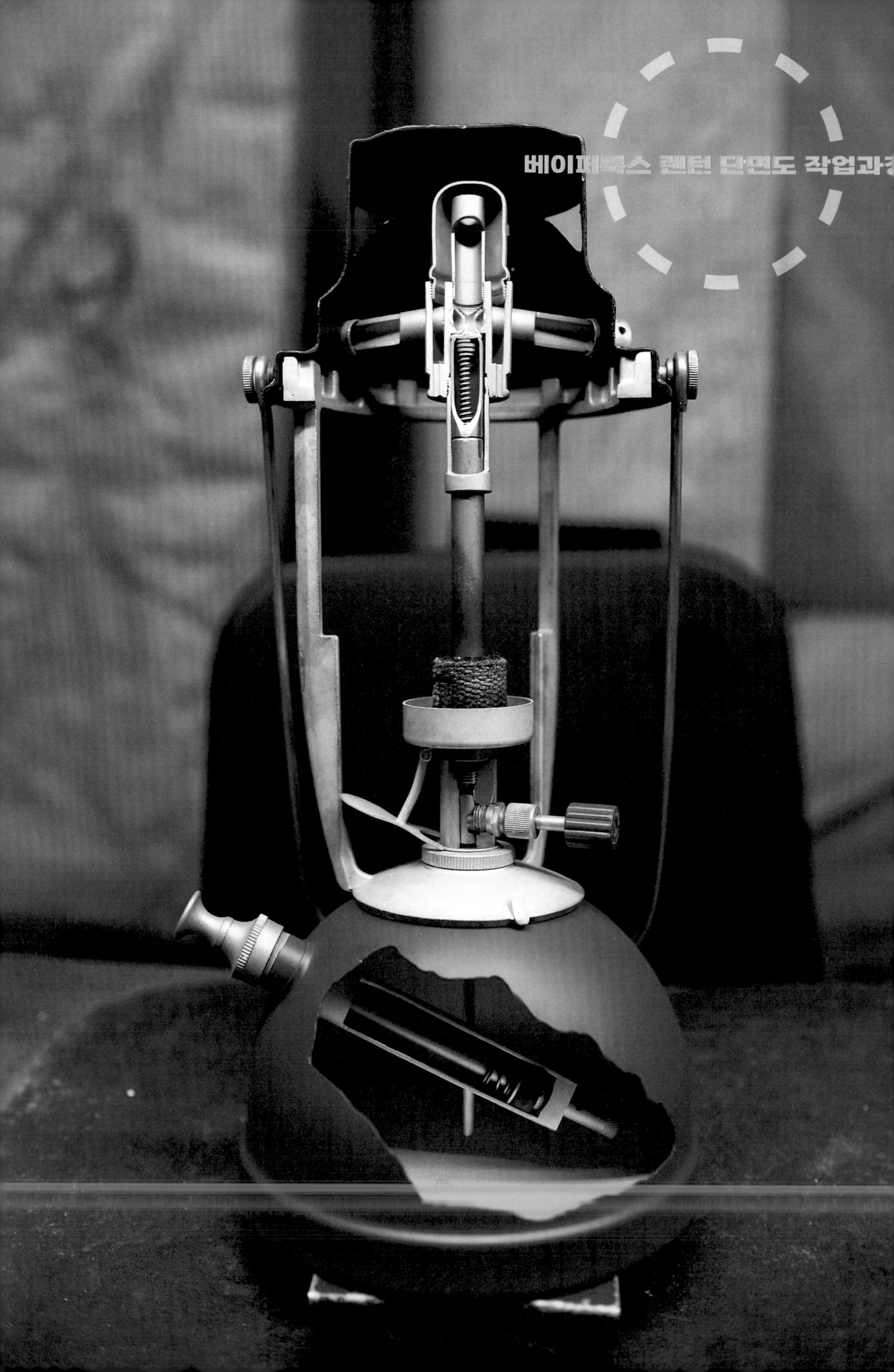
베이퍼룩스 랜턴 단면도 작업과

1

베이퍼룩스 랜턴 단면도 제작 과정이다.

2

사용해본 랜턴 중 연료통 두께가 가장 두꺼운 편에 속하며, 부식이나 크렉이 난 연료통을 구하기가 어려웠다.

3

단면도 제작시, 후배의 도움으로 베이퍼룩스 랜턴 하나를 희생해서 작업을 하게된 상황이다.

후배 미르(이성원)님에게 다시한번 감사의 말을 전한다.

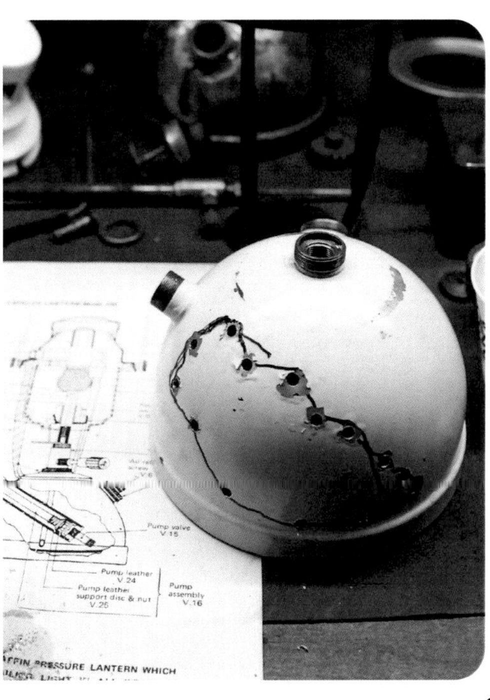

4

드릴로 라인을 따기전, 구멍을 뚫고, 미니전동 그라인더를 이용해서 조심스럽게 라인을 하나씩 따낸다.

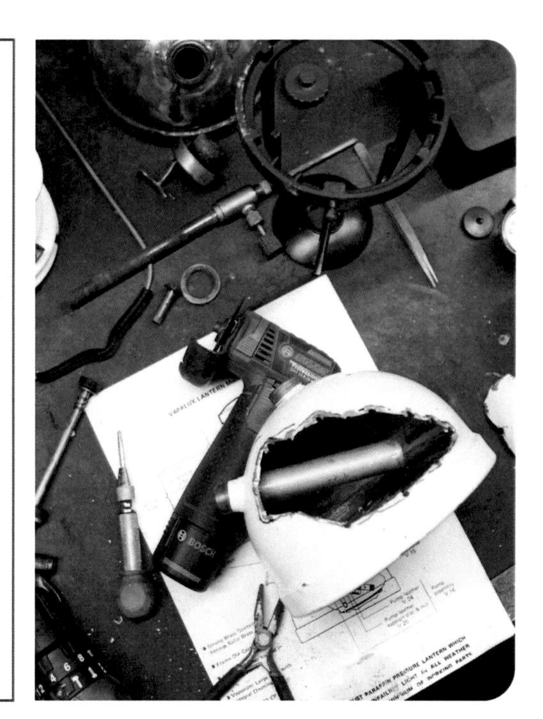

5

베이퍼룩스 랜턴의 연료통 내부를 봐본다.

6

잘라낸 연료통 면을 부드럽게 라인선을 잡고 줄로 갈아낸다.

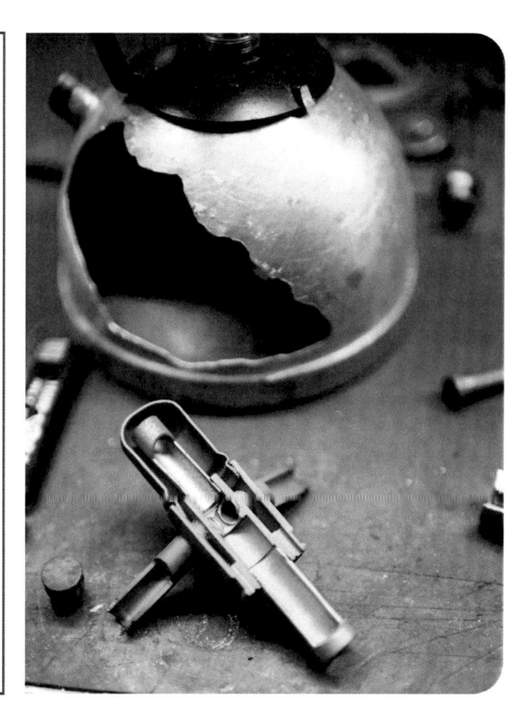

7

상단 범랑후드부를 그라인더로 절개한 후, 다듬기 작업.

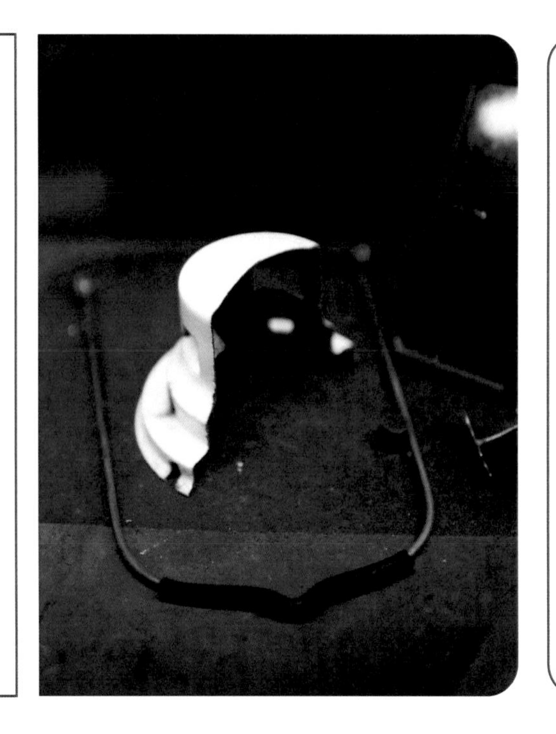

8

상단 알루미늄 프레임의 방향을 보고 지지프레임 한쪽 발을 잘라낸 후, 전체 윤곽을 봐보는 상황이다.

9

펌핑라인의 납용접을 떼어낸 후,펌핑실린더 내측부를 보기 위해 절개 및 다시 연료통에 끼워넣고,납용접으로 붙여놓은 모습이다.

10

절개한 펌핑실린더 내측부를 봐본다. 연료통 내측부에서 잘보이도록 위치를 잡고 납용접을 해둔상태이다.

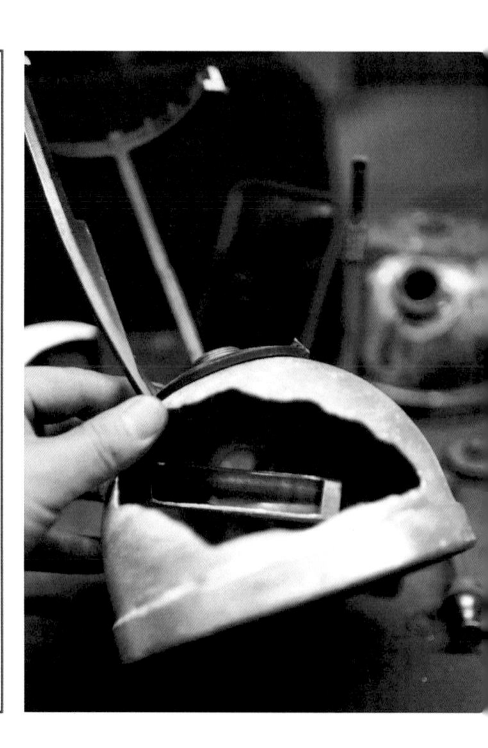

11

컨트록 콕 부품의 납용접을 떼어낸 후, 분해해둔 상태다.

12

컨트롤 콕 몸통을 절개한 후, 단면 라인의 면을 갈아내는 작업 모습이다.

13

각 절개한 부품들을 모래샌딩과 비드샌딩으로 표면의 때를 털어낸 후, 1차 검수 중이다.

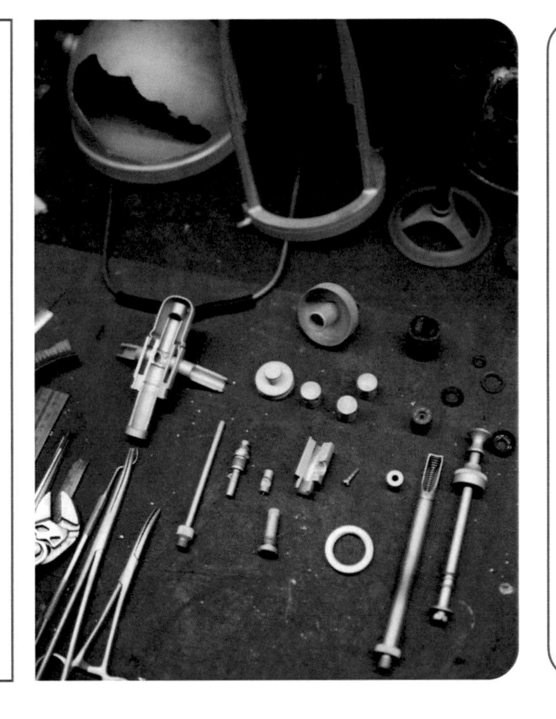

14

절개한 면의 단면 단차를 체크 해본다.

15

바이퍼라이져 상단부 절개작업 후, 내측 필터 부품까지 끼워 확인해본다.

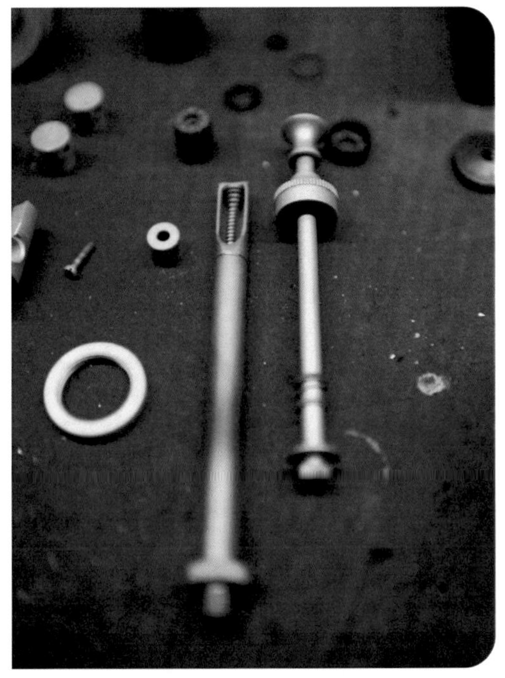

16

연료통 및 프레임 전체 모두, 모래샌딩 작업과 비드샌딩 작업으로 털어낸다.

17

절개한 후드부에 절개한 버너부를 가 조립 해본다.

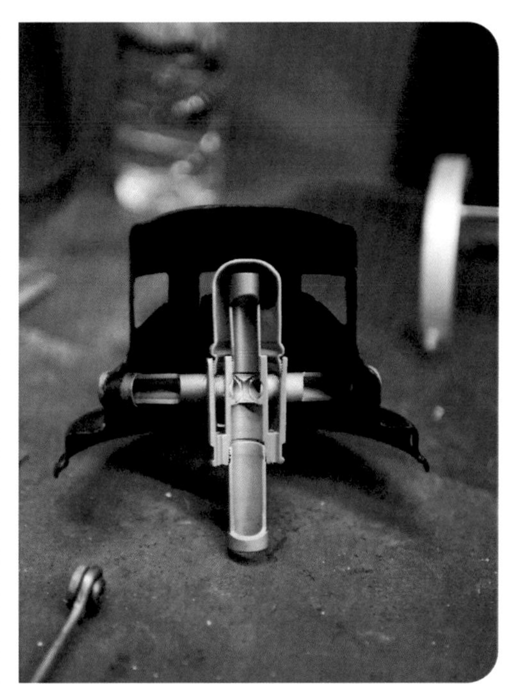

18

연료통은 내측부를 마스킹 한 후 외측 표면은 카키색 도장처리로 건조까지 끝내놓은 상태다.

19

연료통 내측부 비드 샌딩으로 반광작업 및 펌핑실린더 내측부까지 정리한 상태다.

20

하부뭉치인 컨트롤 콕 단면 제작 후, 조립까지 끝낸 상태다.

21

범랑후드부에 단면작업된 버너부를 끼워넣고, 바이퍼라이져 라인까지 세팅을 끝낸다.

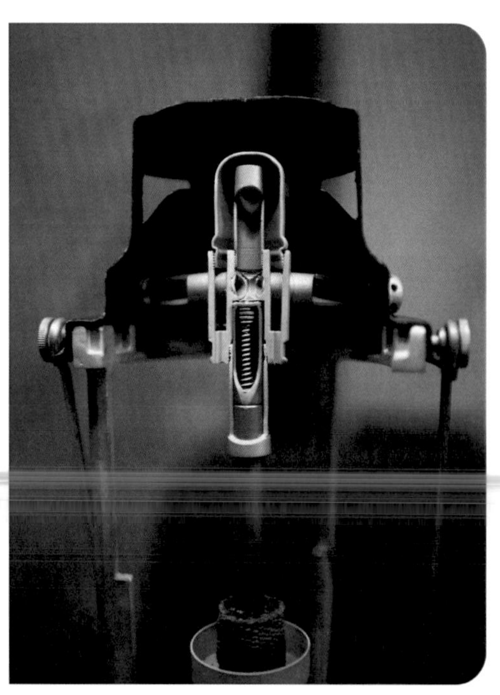

22

바이퍼라이져 내측부 필터링까지 조립 후, 전체 조립상태를 체크해본다.

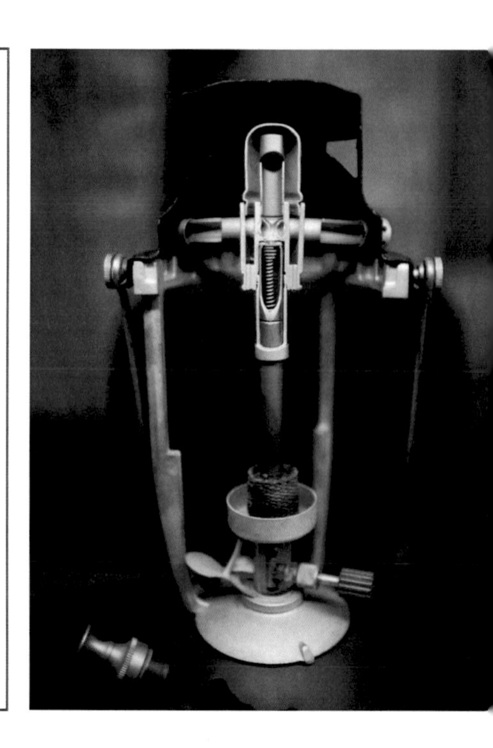

23

예열컵 라인 수정 작업과 컨트롤 콕의 작동상태를 반복적으로 확인을 해 본다.

24

단면도 촬영전 전체 뷰와 각부품별 내부 측구조도 모습등을 한번 더 체크 중이다.

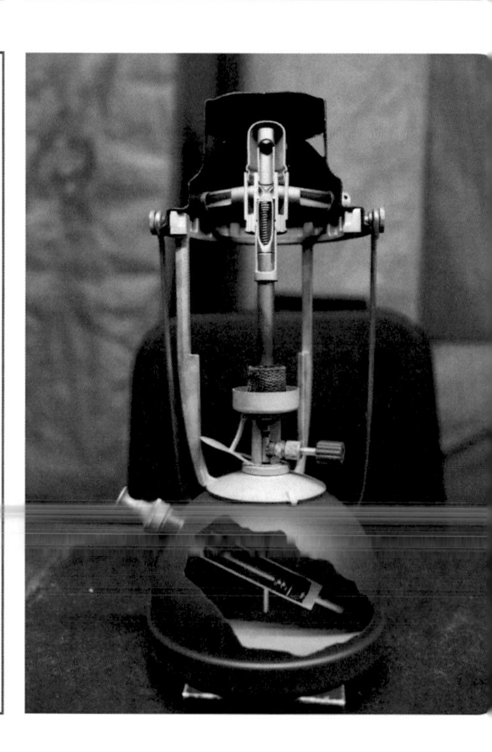

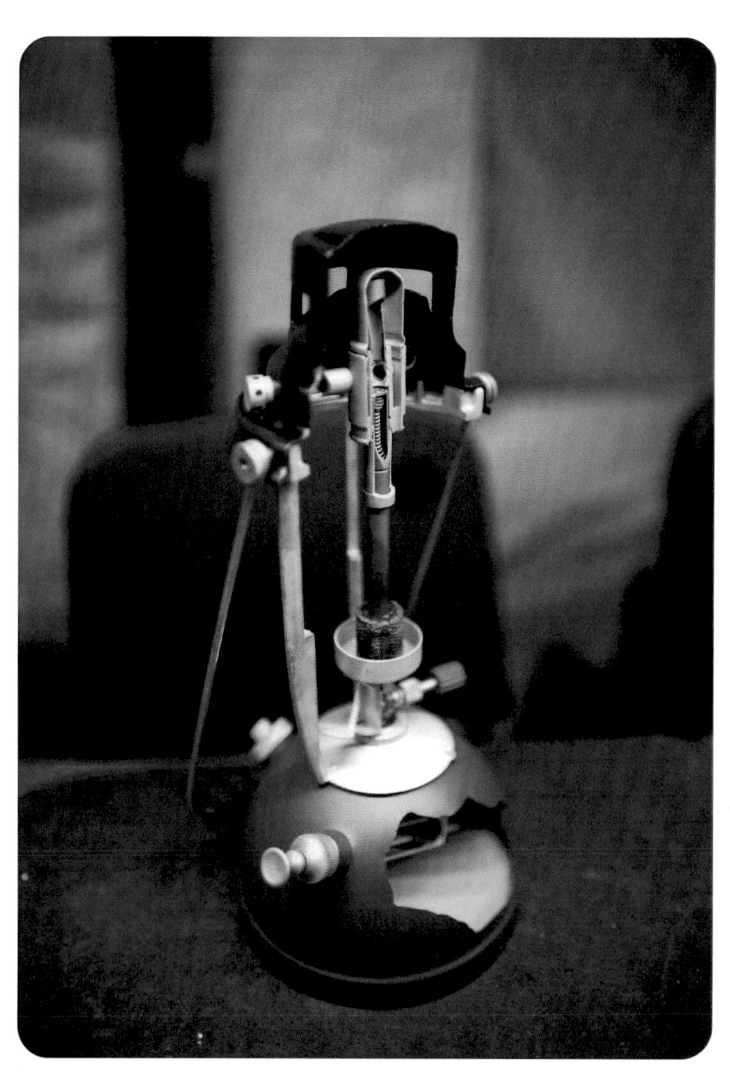

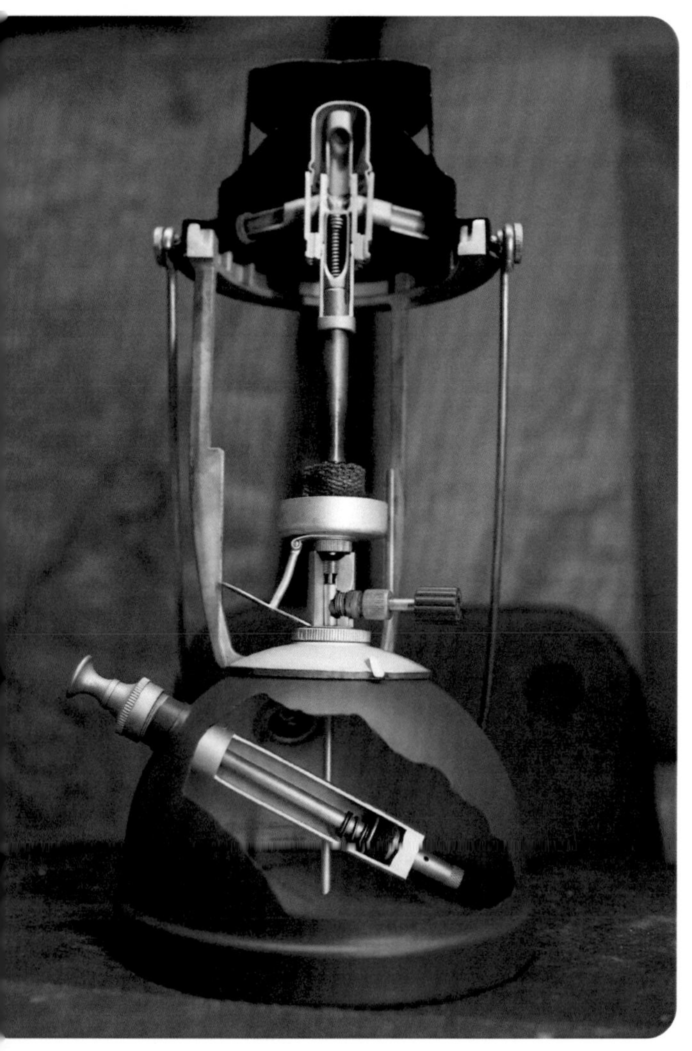

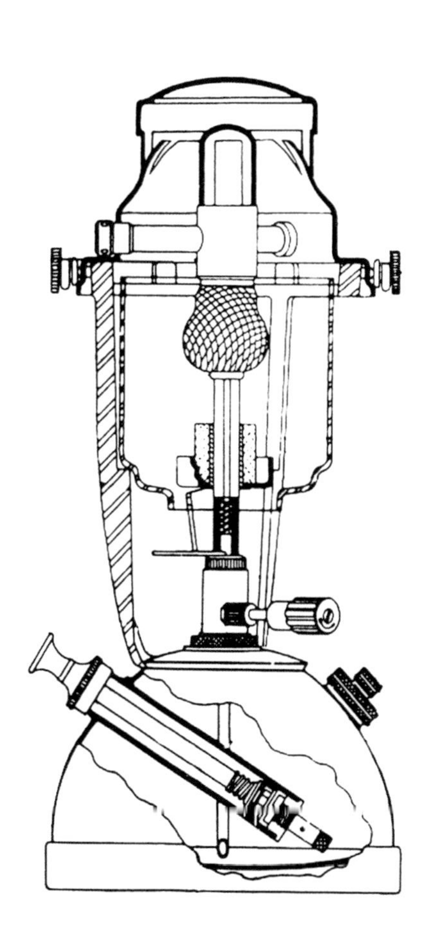

베이퍼룩스 E41 정비 & 수리작업

1

베이퍼룩스 E 41랜턴 정비가 들어 왔다.

2

후드를 벗겨 보고 버너부를 봐본다.

3

맨틀이 검게 화염 자국이 선명하다.

4

베이퍼룩스 초기형 모델의 모습 그대로를 다시 탄생시킨 모델로 알고있다. 전체적인 형태가 페트로막스 스타일의 형태를 갖추고 있다.

5

프레임을 분리시키고, 연료통만 남겨본다.

6

컨트롤 콕 분해.

7

핸드휠 라인분해 및 상단 프레임 고정볼트를 풀어낸 후, 나열해 본다.

8

연료통 내측부 상태는 아주~ 양호한 편이다

9

버너부 라인을 모두, 분해소지 할 예정이다.

13

그사이 버너부 분해에 들어간다.

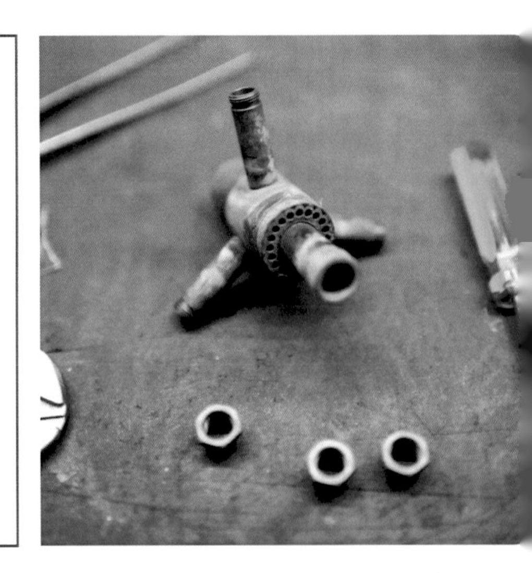

10

먼저 바이퍼라이져 분리 및 내측부의 기본 카본청소를 진행할 차례.

14

400도가 넘는 열기속에서 버터준 버너부.

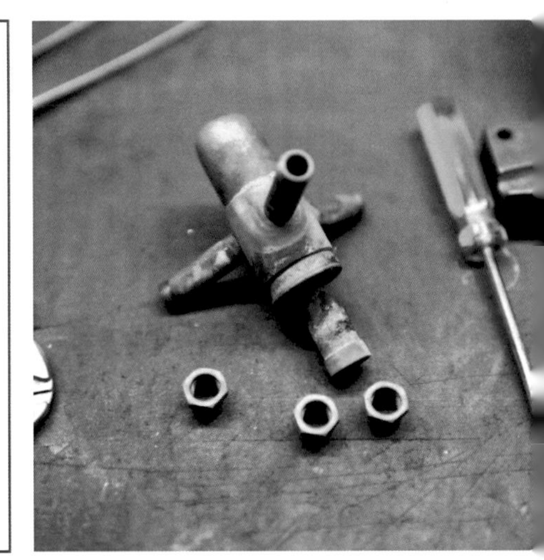

11

청소 로드침(니들대) 의 상태 확인을 해보니, 다행히 니들침은 살아 있다.

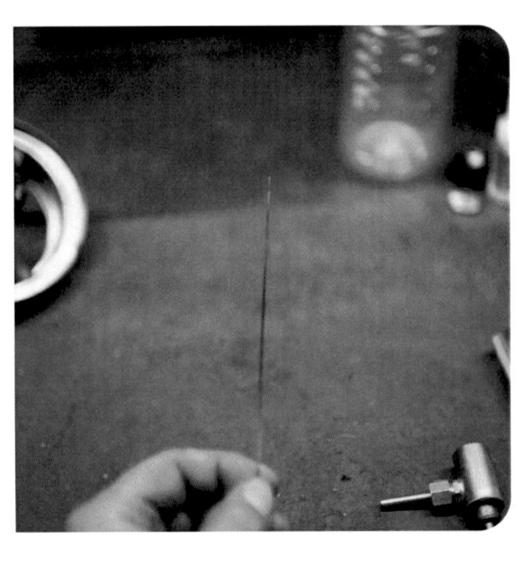

15

버너부 각 부품을 모두 분해 및 비드 샌딩 작업을 할 예정이다.

12

초음파 세척기를 이용해서,최대한 바이퍼라이져 내측 카본찌끼기를 털이서 빼낸다.

16

검게 그을린 모습이 어떻게 변하는지 지켜봐보지.

17

포셋 집게에 물
려 모두 비드샌
딩 작업으로 그
을음을 털어 낸
모습이다.

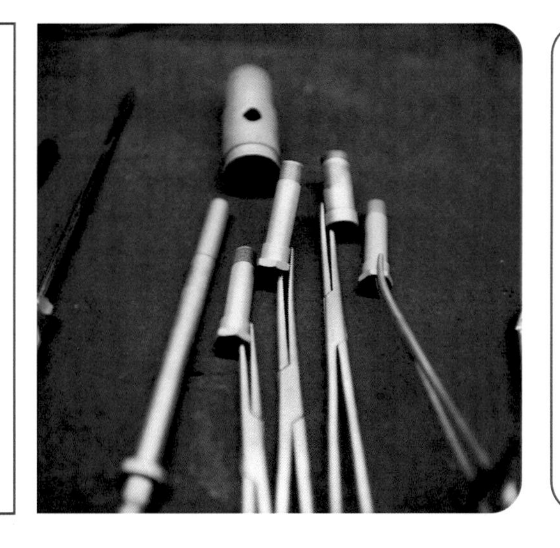

18

버너부 몸통이
자, 화구 모습.

19

버너부 몸통에
공기통로 라인
을 조립 한다.

20

버너부 조립과
정에는 반드시
내열 접착제를
나사선에 발라
끼워넣고, 적당
한 토크로 조여
준다.

21

오버홀 작업을
끝낸, 버너부와
바이퍼라이저
모습이다.

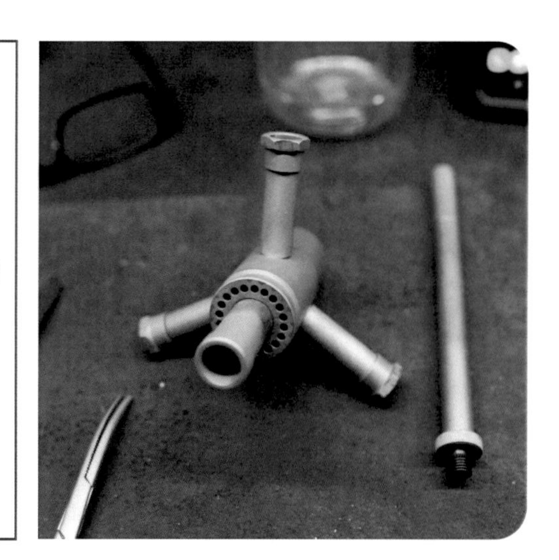

22

버너부를 이너
케이싱에 다시
조립을 하고,맨
틀을 미리 달아
매준다.

23

연료통과 프레
임 조립이 완성
되면, 상단부에
올려 끼워주면
된다.

24

컨트롤 콕 오버
홀작업 후 폴리
싱 작업까지 끝
낸 상태다.

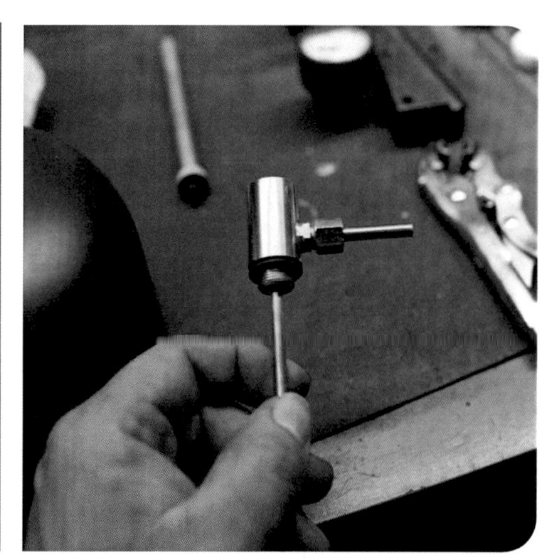

25

연료통 상단 중앙에 삽입 조립이 남아 있다.

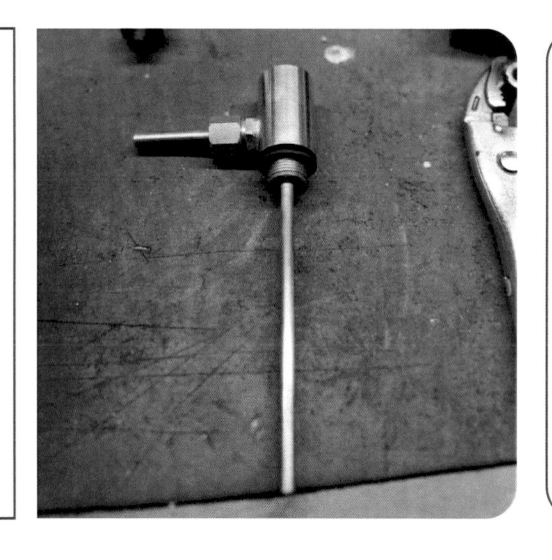

29

생체기가 나지 않게 테프론재질이 달린 펜치를 이용해서 끼운다.

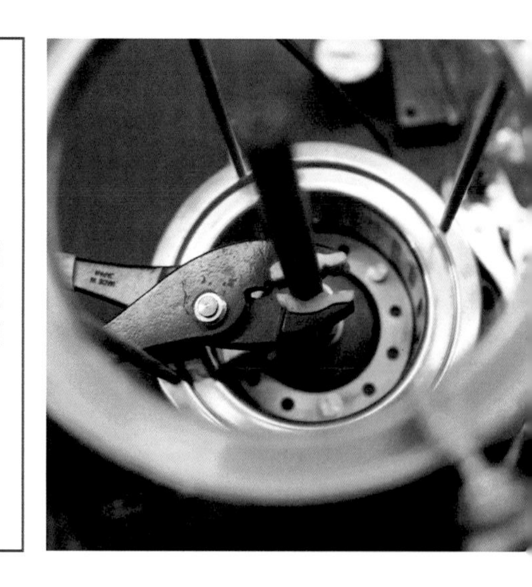

26

조립시, 최대한 생체기 자국이 남지 않도록,테프론 아데가 달린 펜치로 조여준다.

30

이동 손잡이를 끼워 넣으면, 전장조립이 거의 완성 되어간다.

27

오버홀이 끝난 바이퍼라이져 및 청소 로드침(니들대) 과 스프링, 핸드 휠 황동 손잡이 모습이다.

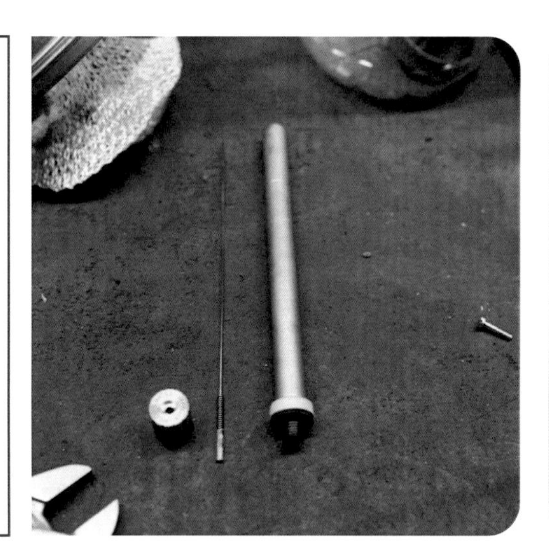

31

이동손잡이의 중앙에 말랑한 텐션 스프링을 끼워넣어 준다. 연료통에 닿아 페인트 까짐을 방지하기 위해서다.

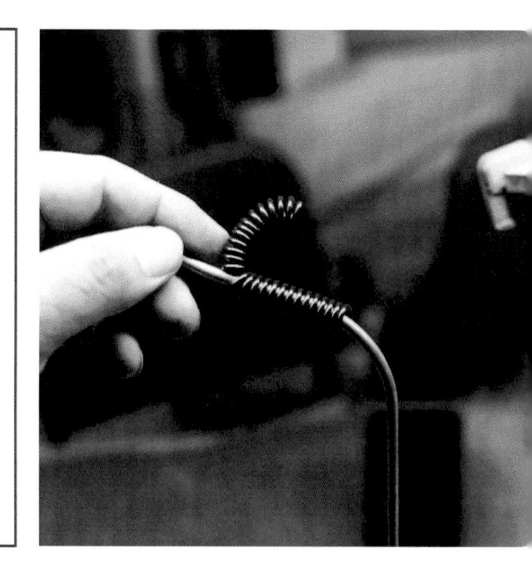

28

상단 프레임을 고정 시킨 후, 바이퍼라이져를 컨트롤 콕 상단에 올려, 적당한 토크로 돌려 끼운다.

32

이동 손잡이가 하단위치에 있을때 연료통에 닿는 부위의 생체기 자국이 나지 않도록 하기 위함이다.

33

상단 후드부와
펌핑 라인만 정
리하면,불을 볼
수 있을 예정이
다.

34

펌핑라인과 가
죽바킹에 미싱
오일을 적셔 준
다.

35

펌핑 로드대를
끼운 후,펌핑마
개도 단단히 고
정 및 끼워준다.

36

거름망이 있는
깔대기를 이용
해서, 불순물을
걸러내며, 등유
를 2/3 선만 넣
어준다.

37

최대한 연료통
안에는 불순물
이 들어가면 안
된다.

38

알콜예열을 위
한 알콜주입기
모습이다.

39

알콜 주입기의 대롱은 최소 5 cm 이상이 되야 추가 주입시, 남아 있는 불꽃이 대롱 통로를 타고 들어 오지 않는다. 자칫, 불이 타고 들어와 터질 수 있음을 주의해야 한다.

40

바이퍼라이저 예열 및 맨틀(심지) 태우기 작업까지 함께 진행 되어진다.

41

등유랜턴은 예열작업이 가장 중요하다. 최소한 저자경우, 여름에는 3번, 겨울에는 5번 이상 진행 한다.

42

항상, 간의 소화기는 꼭, 옆에 하나씩은 준비 해두는 습관을 기르자.

43

예열이 부족하면 일어나는 현상이기도 하지만, 이번경우는 바이퍼라이저 연료출구 구멍이 확공되어, 일어난 상황이다. 결국, 새 바이퍼라이저로 교체 후, 다시 예열 작업을 한다.

44

적당한 예열이 된 시점, 에어밸브를 돌려 잠그고, 펌핑을 시작한다. 잔여알콜 불꽃으로 인해 맨틀에 불이 붙고, 추가펌핑으로 적당한 압력을 넣어주면, 쉬~소리와 함께 맨틀에 불이 안정적으로 밝게 빛난다.

틸리 X246B 랜턴 단면도

TILLEY X246B 랜턴

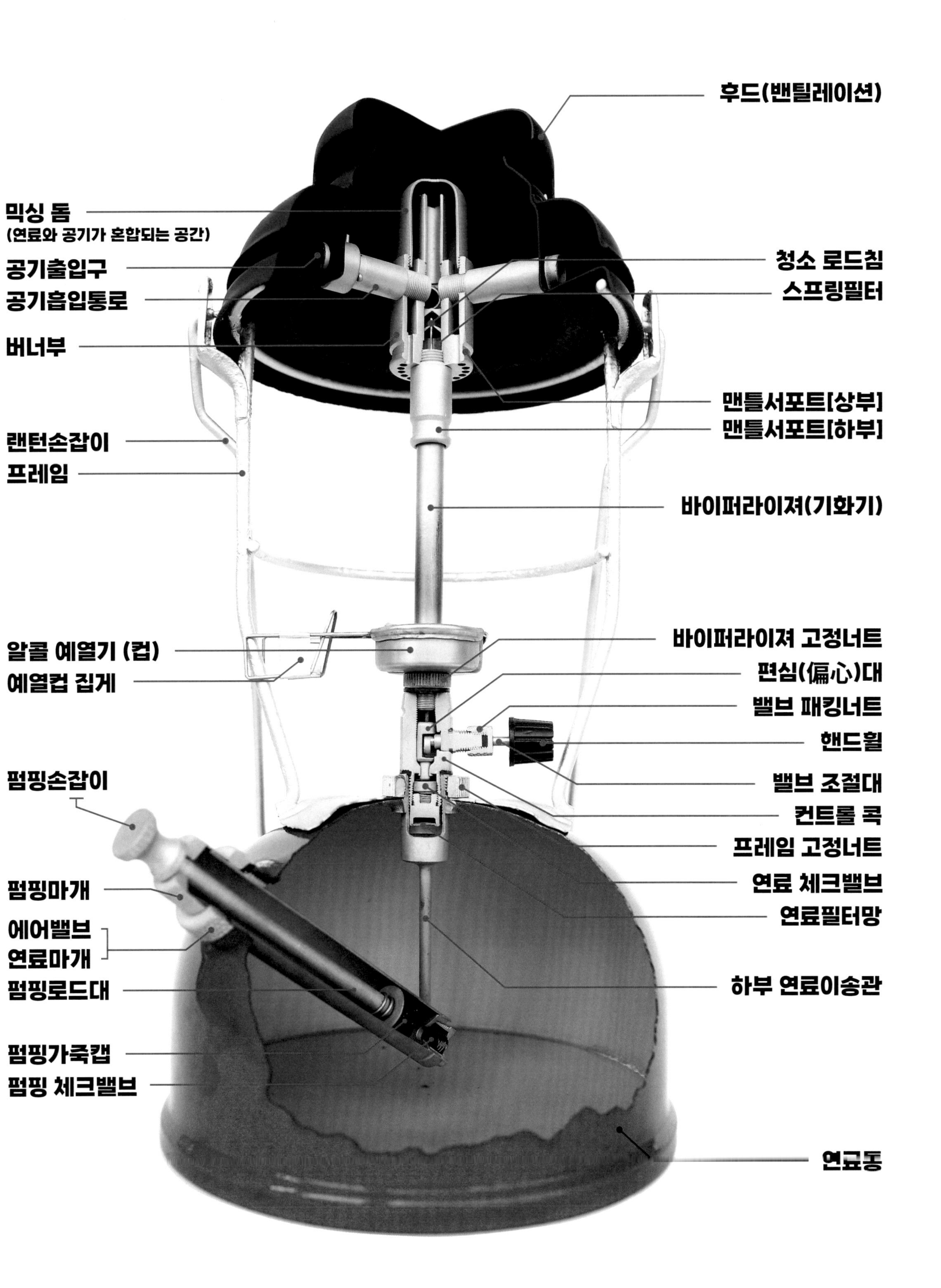
후드(밴틸레이션)
믹싱 돔
(연료와 공기가 혼합되는 공간)
공기출입구
공기흡입통로
버너부
청소 로드침
스프링필터
맨틀서포트[상부]
맨틀서포트[하부]
랜턴손잡이
프레임
바이퍼라이져(기화기)
알콜 예열기 (컵)
예열컵 집게
바이퍼라이져 고정너트
편심(偏心)대
밸브 패킹너트
핸드휠
밸브 조절대
컨트롤 콕
프레임 고정너트
연료 체크밸브
연료필터망
펌핑손잡이
펌핑마개
에어밸브
연료마개
펌핑로드대
하부 연료이송관
펌핑가죽캡
펌핑 체크밸브
연료통

TILLEY X246B 랜턴

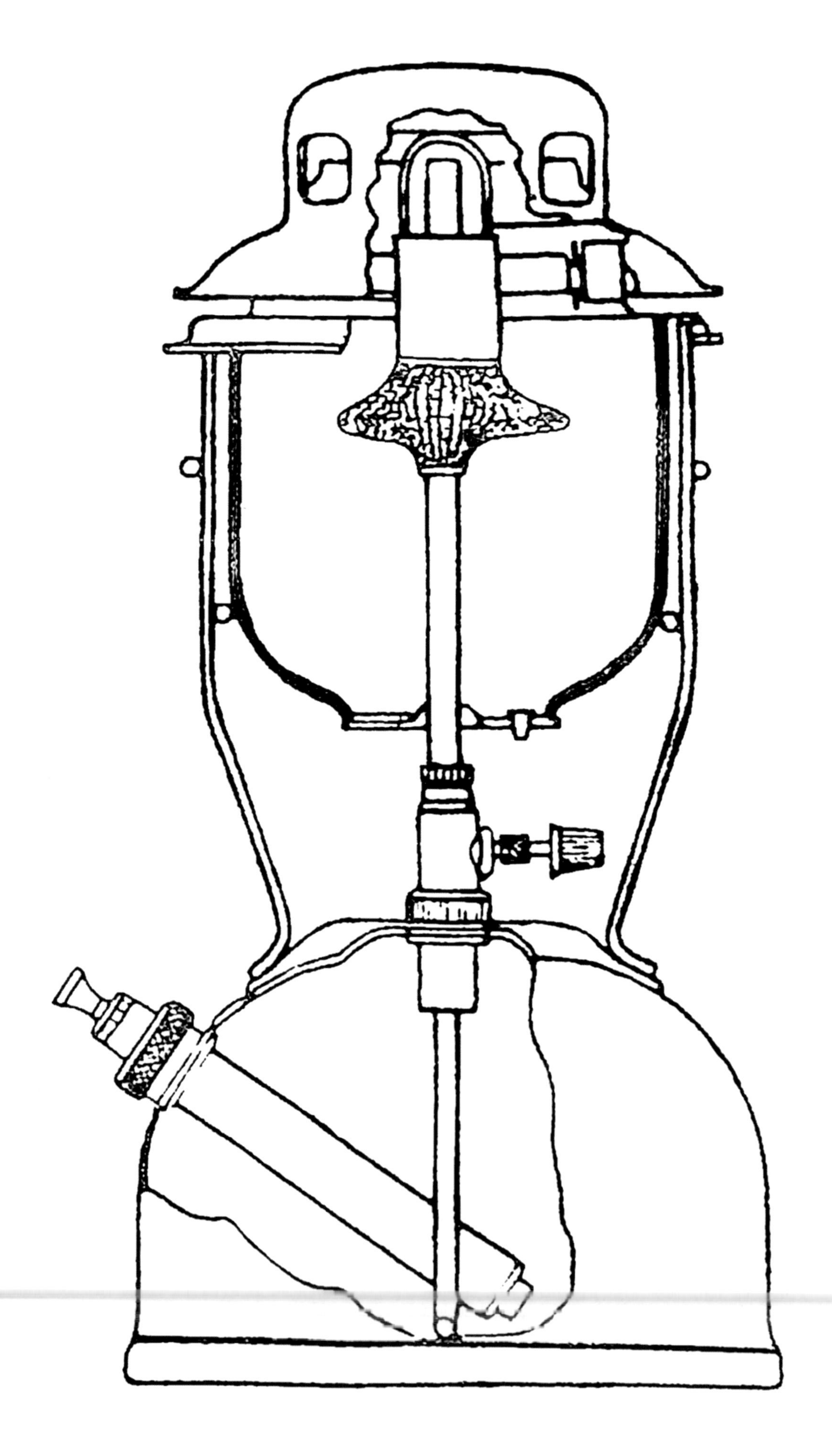

TILLEY 버너부

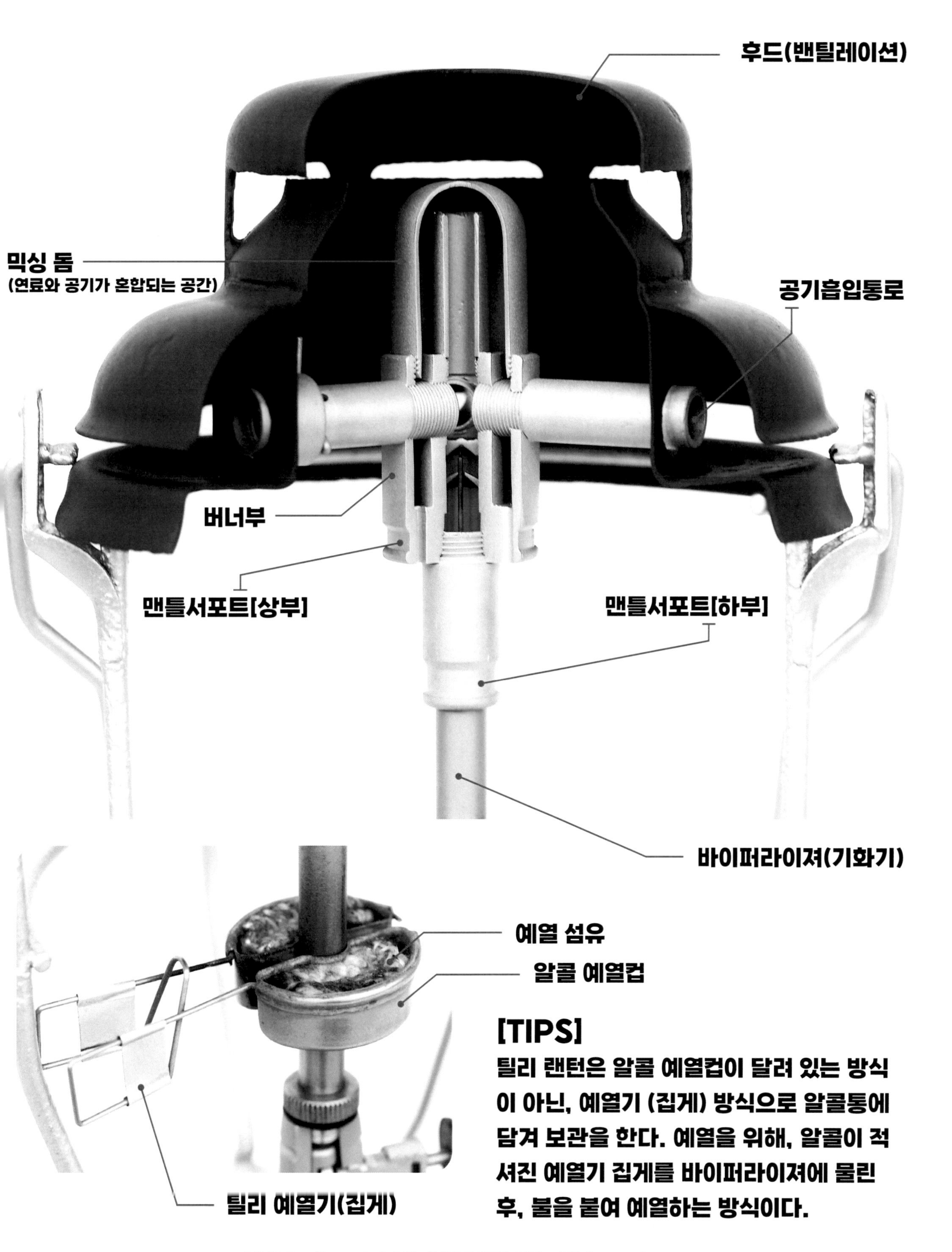

[TIPS]

틸리 랜턴은 알콜 예열컵이 달려 있는 방식이 아닌, 예열기 (집게) 방식으로 알콜통에 담겨 보관을 한다. 예열을 위해, 알콜이 적셔진 예열기 집게를 바이퍼라이져에 물린 후, 불을 붙여 예열하는 방식이다.

범랑 후드부에 체결된 버너부 모습.

TILLEY 버너부

믹싱 돔
(연료와 공기가 혼합되는 공간)

공기와 연료가 섞
여 이동하는 통로.

버너부

맨틀서포트[상부]

맨틀서포트[하부]

공기흡입통로

공기출입구

[TIPS]

베이퍼룩스 랜턴용 버너부와 틸리랜턴
용 버너부의 내/외측 모습과 기능은 동
일하다. 상단 후드부 체결방식에 따른
고정방식이 다를 뿐이다.
400도 이상의 고열속에서 장시간
버터워야 하는 조건이기에 버너부
상단믹싱 돔과 버너부 체결부위가
헐거워지는 현상이 자주 발생한다.
공기흡입 통로 라인과 버너부측
고정 부위에서도 기밀유지가 안
되는 경우도 생기는데 이러한증
상이 생기면, 랜턴의 상단부 전
체가 화염에 휩싸이거나 검정 그을음이 많이 발생
한다. 대표적인 정비 및 수리를 해야 하는 부위이며,
바이퍼라이져 역시, 가스팁(니플)의 구멍이 확공되면,
화염이 발생한다.

TILLEY 버너부 작동원리

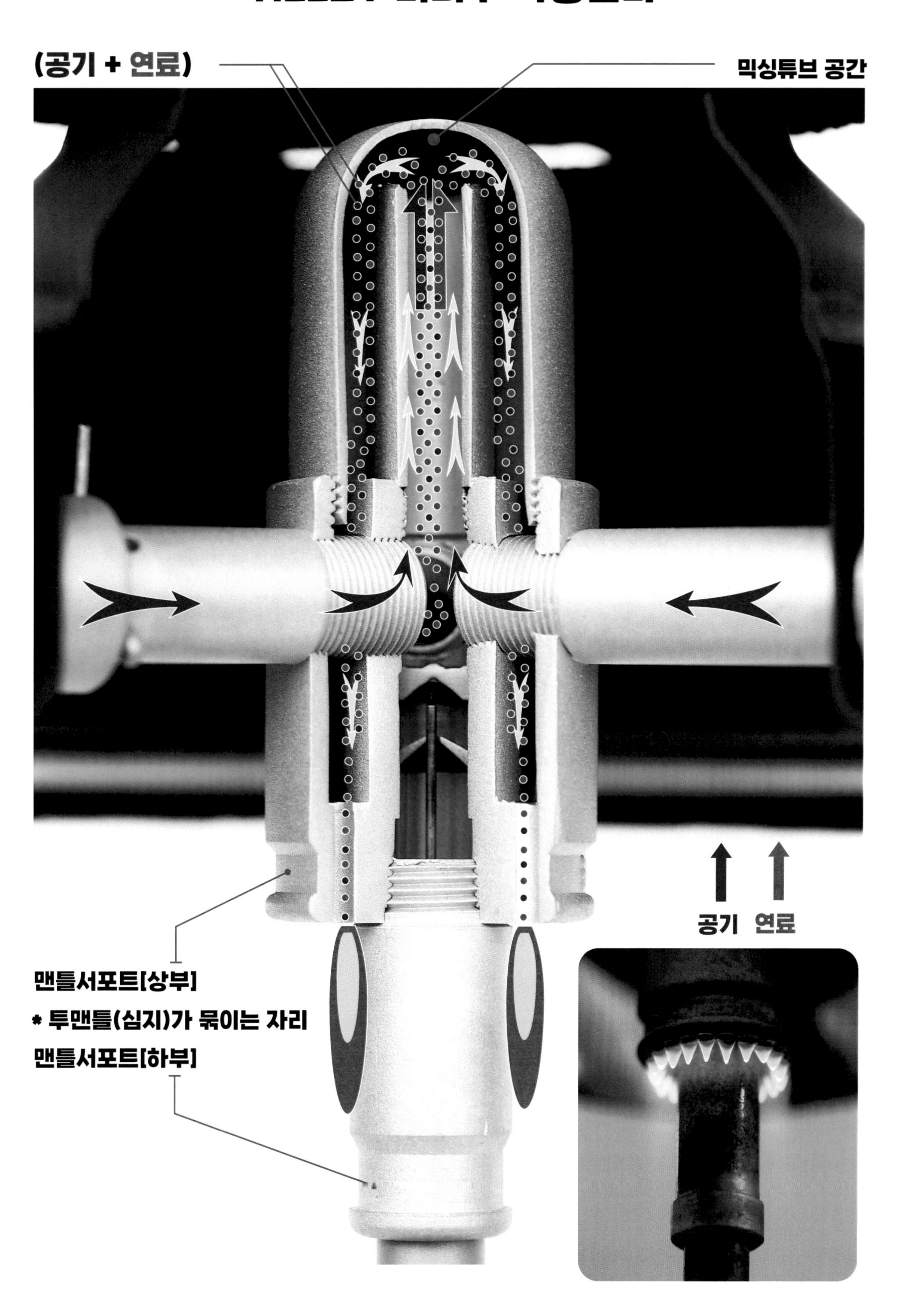

Tilley사의 VAPOURISER (기화기)

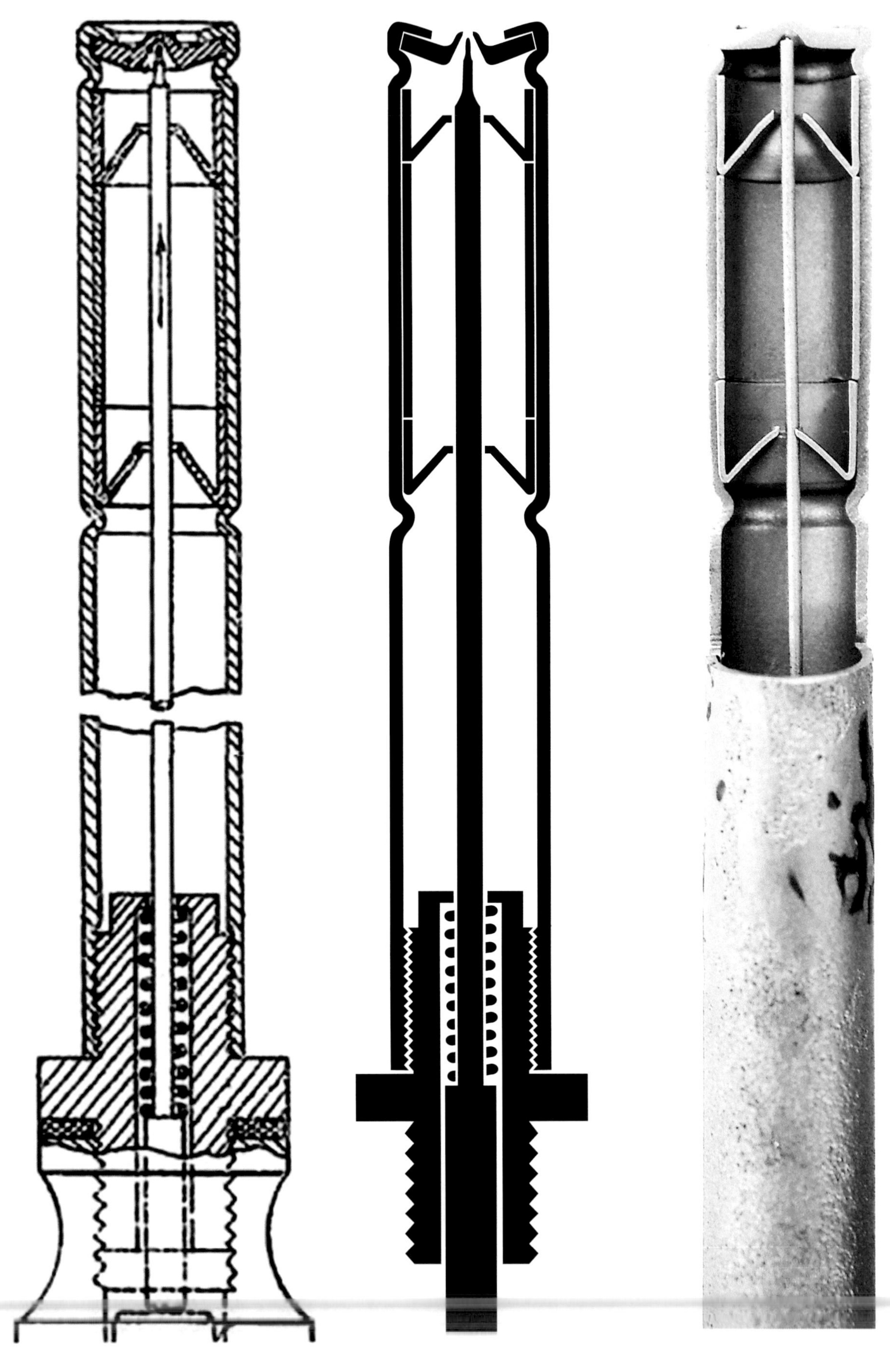

Tilley사의 내부 구조 모습이다.

Tilley사의 VAPOURISER (기화기)

Tilley사에서 제작되어진 바이퍼라이져(VAPOURISER)다.
내측부 원뿔형 칸막이 방이 존재하며, 청소로드 (니들대) 대가 관통하여 지나 간다. 이 원뿔형 칸막이방 내부에 카본이 쌓이며, 축척되면서 바이퍼라이져의 수명은 점점더 줄어든다.

바이퍼라이져(VAPOURISER)는 소모품이다. 오랜 사용 후, 내측부에 쌓여 축척된 카본을 강제로 크리닉 작업을 하는 방법은 큰 효과를 얻지 못한다.

바이퍼라이져계열을 사용하는 등유랜턴은 굉장히 조용한 랜턴들이며, 약 300CP 밝기의 랜턴이다. 과압을 넣어 불 밝기를 올리게 되면, 바이퍼라이져가 과압력에 의해 부풀어 터지는 현상이 발생하기도 한다.

지나친 과압을 넣어 사용중 터진 모습.

(오랜사용으로인한 카본이 쌓여 터지기도 한다.)

과압으로 터져버린 바이퍼라이져 (VAPOURISER)를 절단한 내측부의 모습이다. (내측에 쌓여 있던 카본은 제거한 상태)

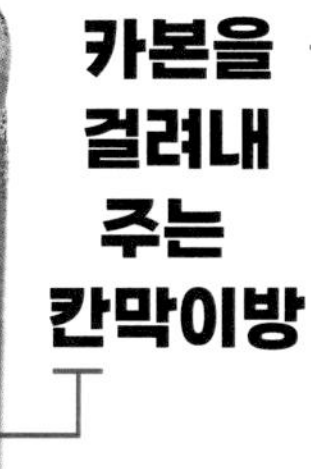

카본을 걸러내 주는 칸막이방

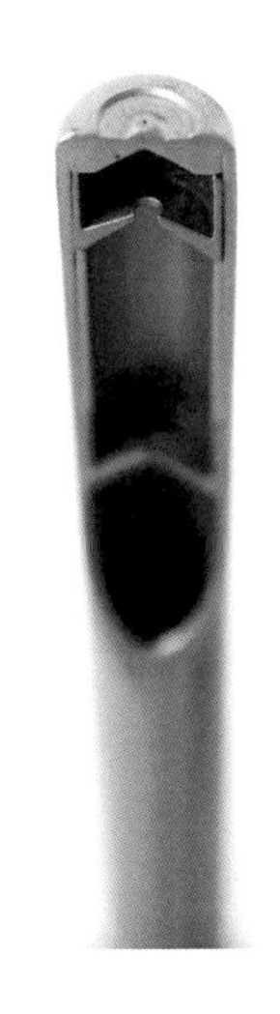

국내에서 제작되어 시판되어졌던 바이퍼라이져 (VAPOURISER) 다. 유일하게 과압을 넣어도 터지지 않는 재질과 원뿔형 칸막이 방이 있는 형식의 기화기이다.(일반적인 영국제 바이퍼라이져의 압력은 약 1.2바 이상 펌핑압력을 넣으면 작동중 상단부가 터져 맨틀 써포트 라인에 꽉 끼어, 난처한 상황이 발생하기도 한다.)
현재 국내에서 제작 및 판매되어지는 대체품 바이퍼라이져 중, 상단부 가스팁(니플)을 교체하는 방식은 절대로 구매하지 않는게 정신건강에 이롭다.(400도가 넘는 고열속 버너부안 교체형 가스팁은 풀려버린다.)

TILLEY X246B 컨트롤 콕 & 연료이송관

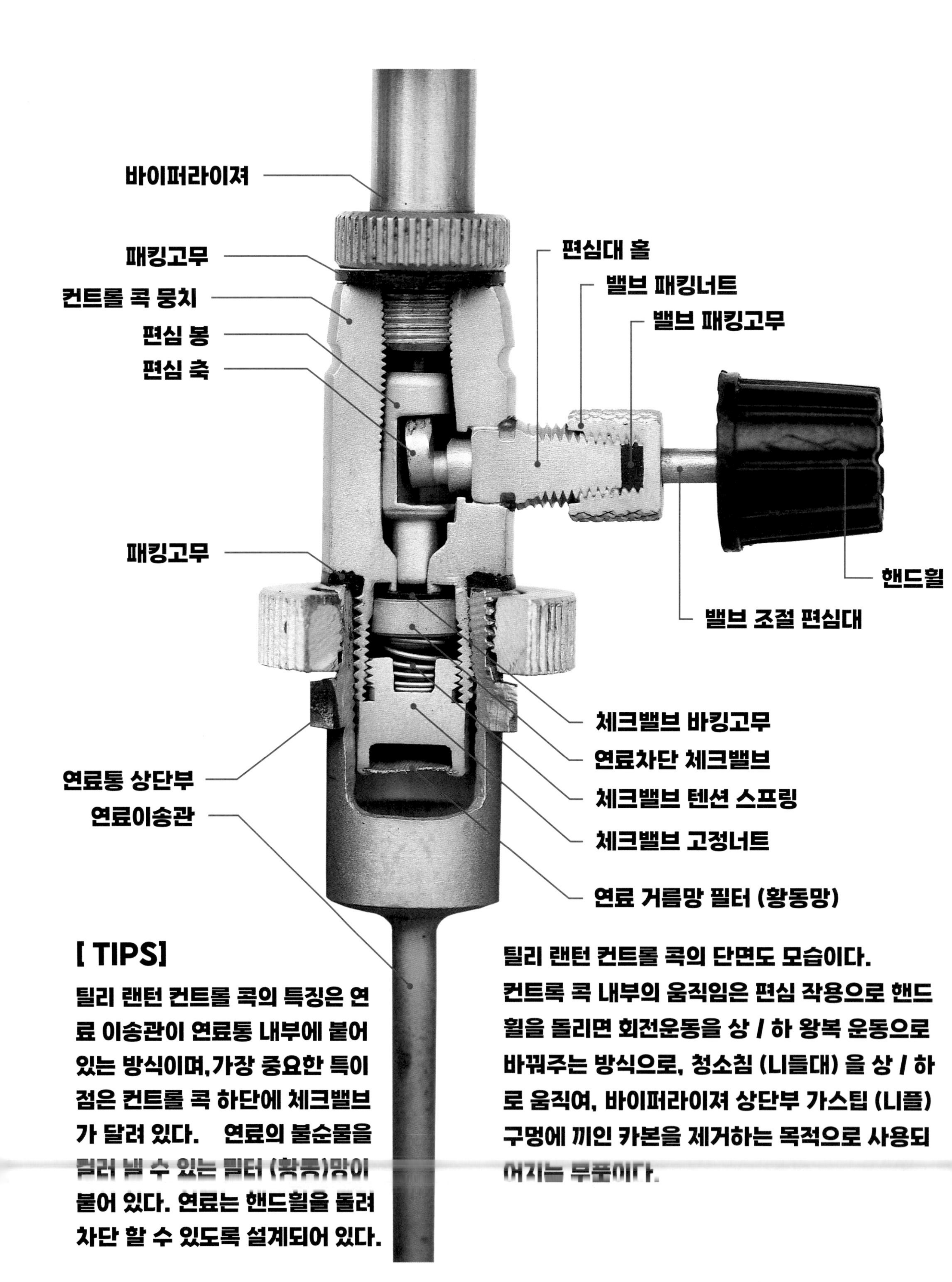

[TIPS]

틸리 랜턴 컨트롤 콕의 특징은 연료 이송관이 연료통 내부에 붙어 있는 방식이며,가장 중요한 특이점은 컨트롤 콕 하단에 체크밸브가 달려 있다. 연료의 불순물을 걸러 낼 수 있는 필터 (황동)망이 붙어 있다. 연료는 핸드휠을 돌려 차단 할 수 있도록 설계되어 있다.

틸리 랜턴 컨트롤 콕의 단면도 모습이다. 컨트록 콕 내부의 움직임은 편심 작용으로 핸드휠을 돌리면 회전운동을 상 / 하 왕복 운동으로 바꿔주는 방식으로, 청소침 (니들대) 을 상 / 하로 움직여, 바이퍼라이져 상단부 가스팁 (니플) 구멍에 끼인 카본을 제거하는 목적으로 사용되어지는 부품이다.

TILLEY X246B 컨트롤 콕 & 연료이송관

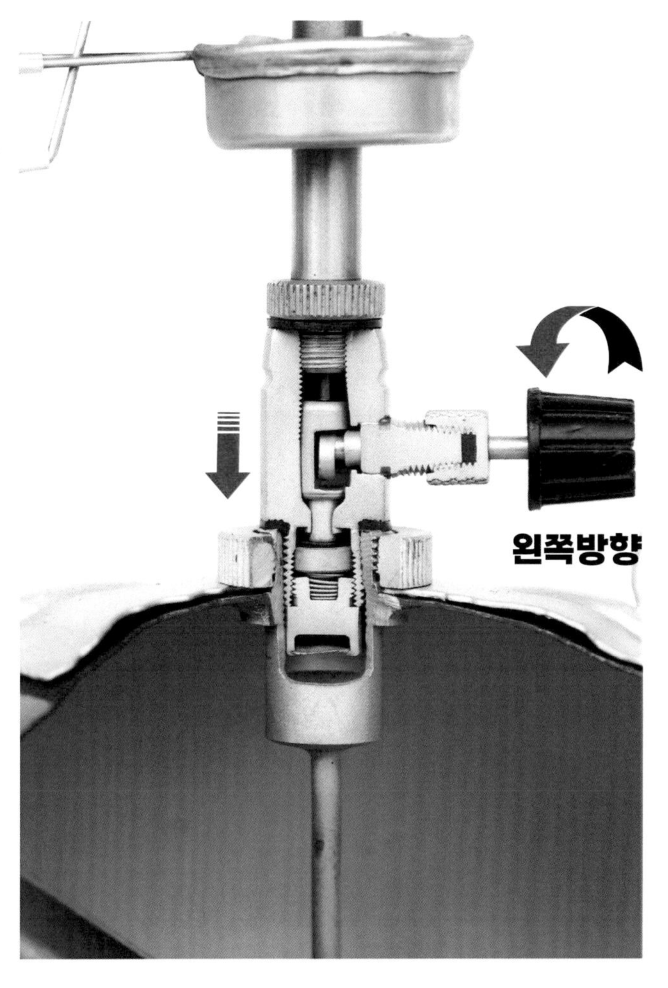

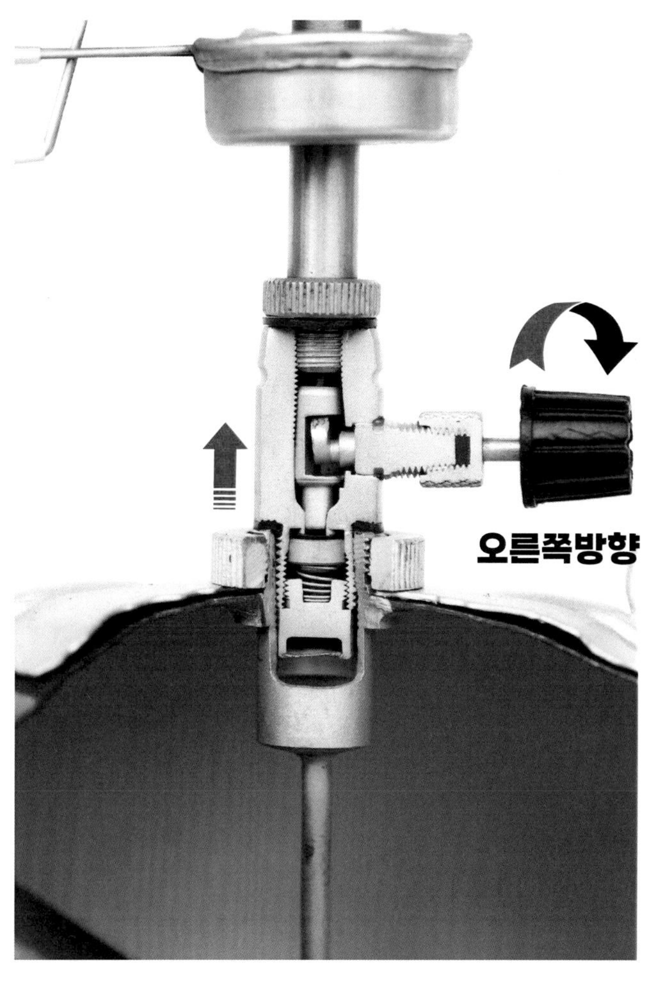

틸리 랜턴 컨트롤 콕의 내부, 상 / 하 핸드휠을 돌리게 되면 움직이는 모습이다.컨트록 콕 내부의 움직임을 관찰 할 수 있으며, 연료차단 밸브인 체크밸브의 움직임과 체크밸브 하단에 황동 필터(망)이 존재함으로 연료의 찌꺼기나 부유물등을 걸러 낼 수 있는 구조를 볼 수 있다.

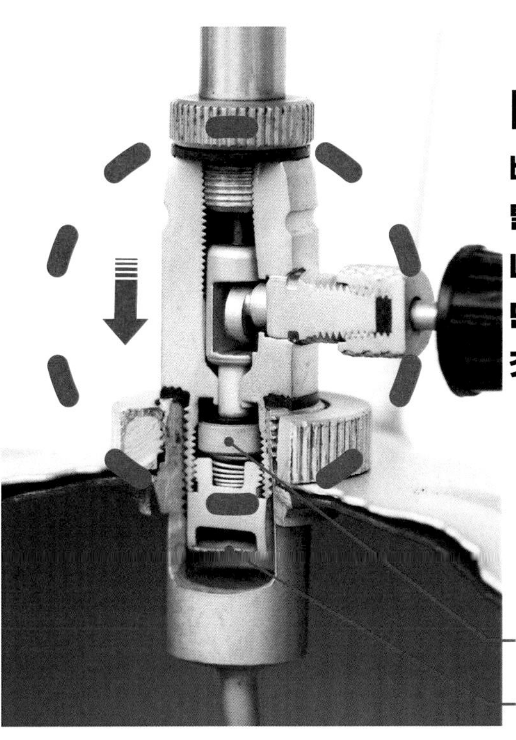

[TIPS]

베이퍼룩스 컨트롤 콕과 틸리 컨트롤 콕 차이점은 내측부 하단에 연료를 차단할 수 있는 기능이 있는 것과 없는 것 차이점이다.

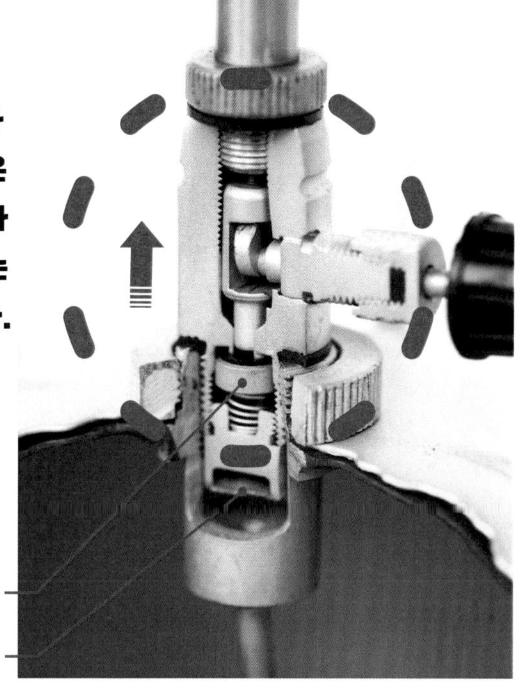

연료차단 체크밸브

연료불순물 거름망

TILLEY X246B 컨트롤 콕 & 연료이송관

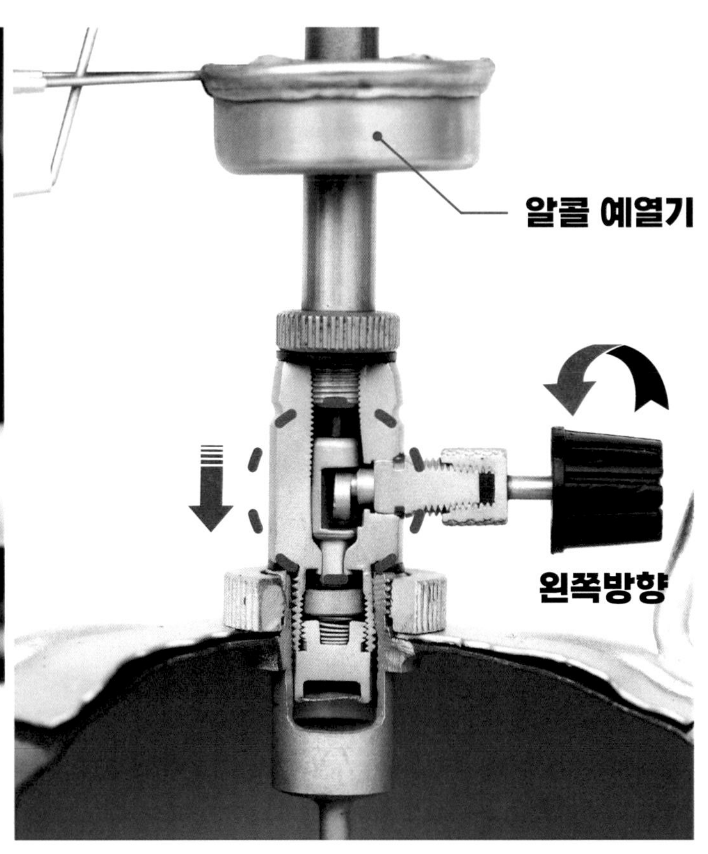

[TIPS]

틸리 랜턴 컨트롤 콕의 움직임에 따라, 바이퍼라이져 내측의 청소로드침 (니들대)의 상 / 하 이동에 따른 청소침 (니들)이 바이퍼라이져 상단 가스팁 (니플)의 구멍을 뚫어주고, 내려오는 모습을 버너부 단면도 내측, 바이퍼라이져 단면도에서 볼 수 있다.

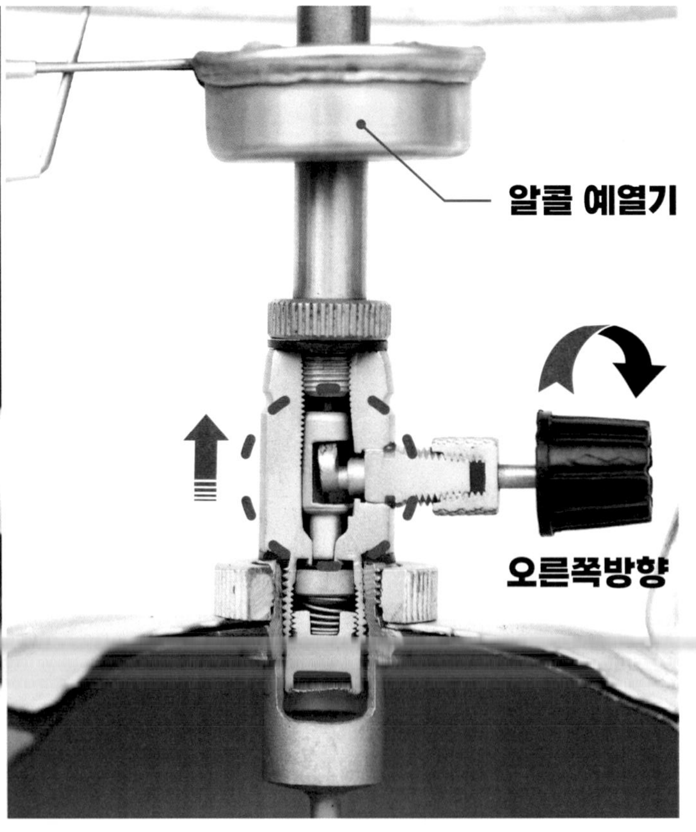

TILLEY X246B 펌핑라인 부품도

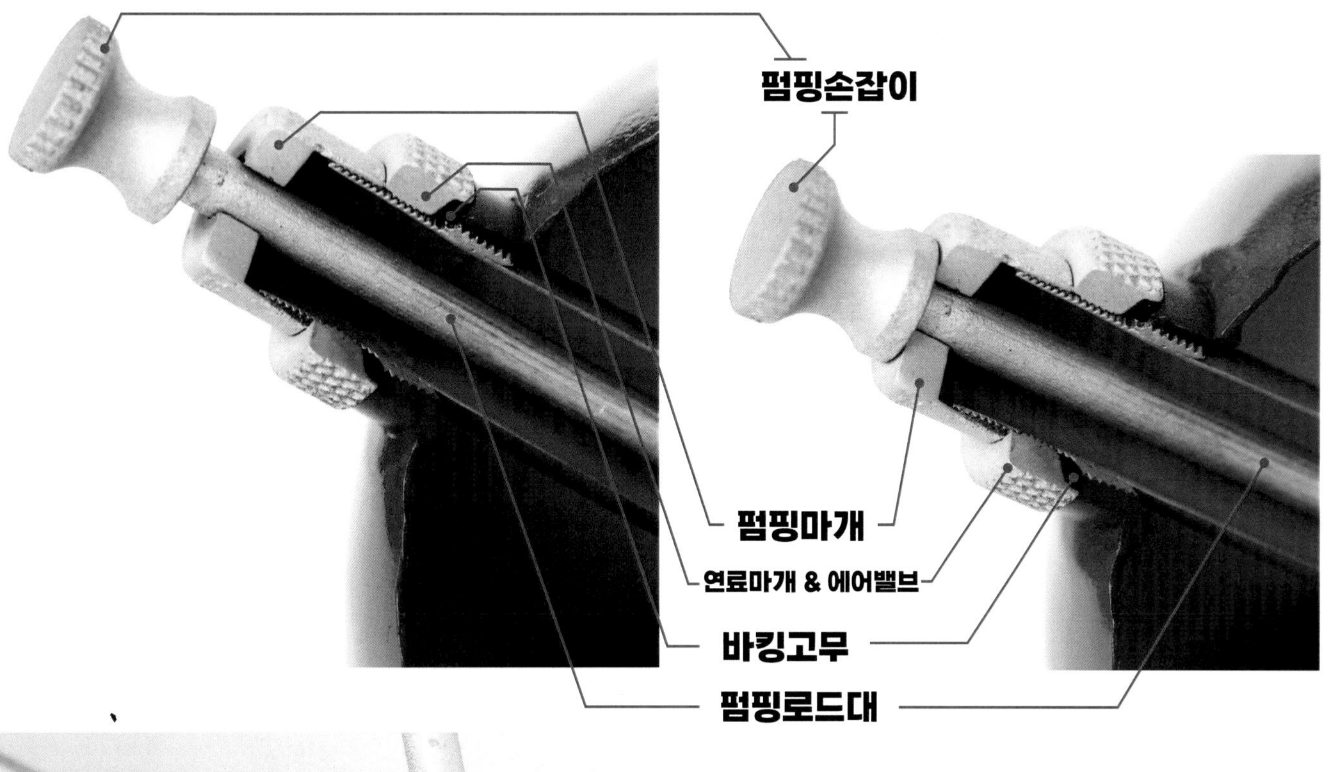

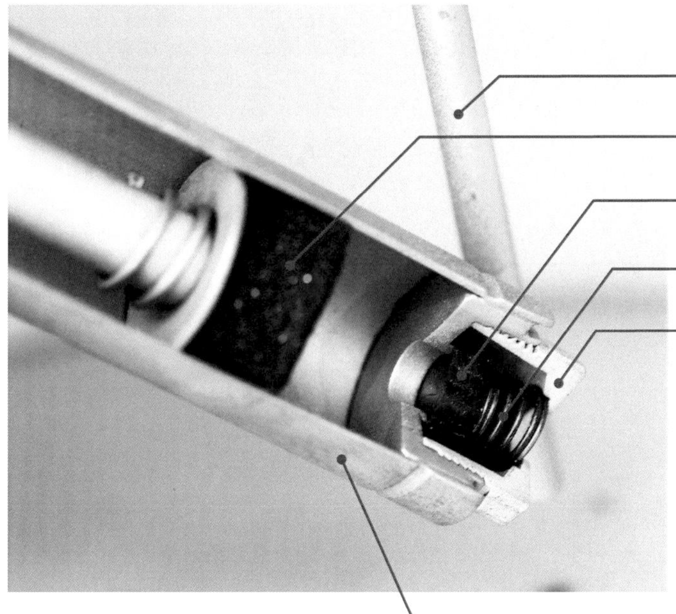

틸리 계열의 펌핑라인 부품은 연료주입 및 연료마개 & 에어밸브 역할을 동시에 수행하는 기능을 갖는다. 연료통 외부의 접합구멍의 개수가 적기 때문에 기밀 유지성이 다른랜턴들 보다 조금 더 유리하다. 아울러, 펌핑 로드대 및 펌핑 실린더가 함께 빼낼 수 있는 구조이기에 펌핑라인 끝단의 체크밸브를 점검하기가 용이하다.

TILLEY X246B 연료통

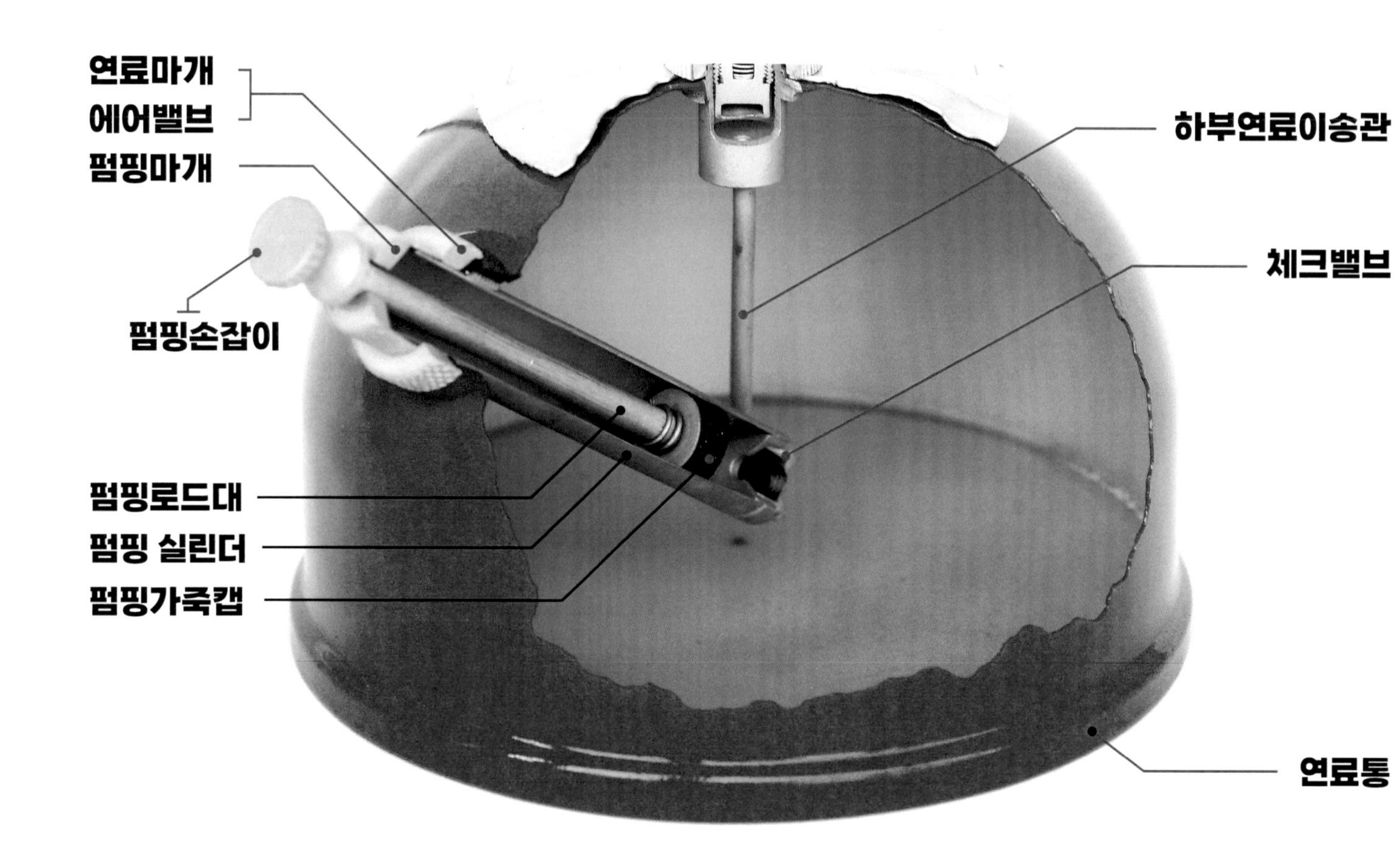

틸리 계열의 랜턴은 연료통 외부의 특징이 있다. 바로, 연료마개 구멍이 따로 있지 않고, 펌핑라인과 함께 사용하는 방식이 특이 하다. 펌핑 로드대 및 펌핑 실린더가 함께 빼낼 수 있는 구조로, 펌핑 끝단에 위치한 체크밸브를 빼내어 점검 및 부품교체가 훨씬 편하다.

그리고, 연료통 상단에 베이퍼룩스 계열의 랜턴과 달리, 연료이송관이 분리되에 빠지는 구조가 아닌, 연료통 내측부에 붙어 있는 방식이다.

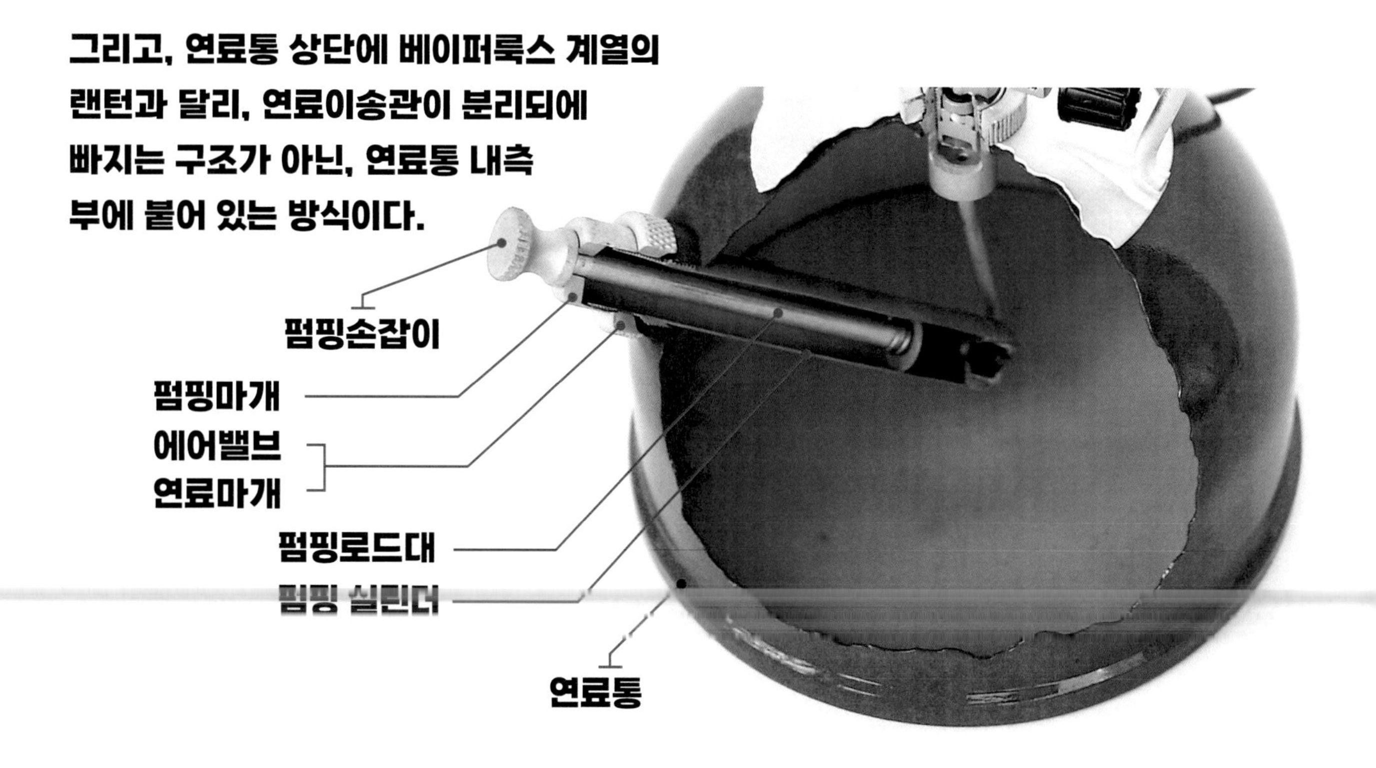

틸리 246B 커스터마이징 작업

1

틸리랜턴 정비 및 커스텀 문의 작업이 들어왔다.

2

작업과정에 대한 간단한 설명을 주고받고, 바로 작업라인에 들어 간다.

3

틸리랜턴의 후반부 모델이다. 프레임의 크롬 도금상태가 엉망으로 모래샌딩작업으로 털어낼 예정이다.

4

바이퍼라이저 수명도 알 수 없는 상태로 추측이 된다.

5

바이퍼라이저 나사선은 이미 나사선 코를 넘어선 뭉게진 상태로 보인다.

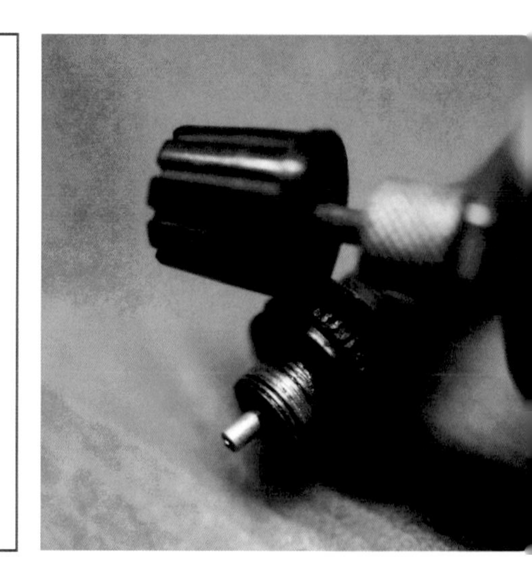

6

틸리랜턴의 후반부 모델들의 컨트롤 콕 재질은 황동재질이 아닌, 알루미늄이다. 원가절감의 모습이 확연하다. 라는 판단이다.

7

펌핑라인은 모카페버전 부품으로 교체되어 있다.

8

펌핑라인을 빼낸다. 상태가 심각한것을 보면, 연료통 내 튜브가 엉망일 거라 예상된다.

9

버너부 상태는 더더욱 엉망인 모습, 고열 멘더가 발라져있는데, 유증기 및 밀폐에 문제가 있어 보인다.

10

전체 비드샌딩 및 제조립으로 정리한 모습.

11

연료통 내측부 상태는 찌든때와 등유 슬러지 및 최악의 상태를 보여준다.

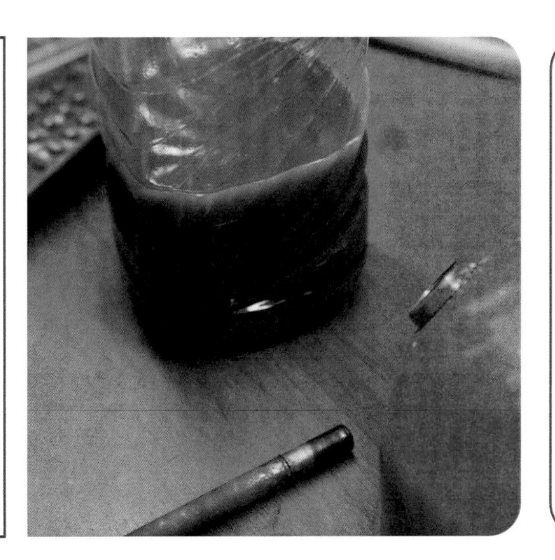

12

녹소와 엉망인 크롬을 모래샌딩으로 털어낸 상단부 프레임 모습이다.

13

내열 페인트로 프레임 도장작업을 정리해준다.

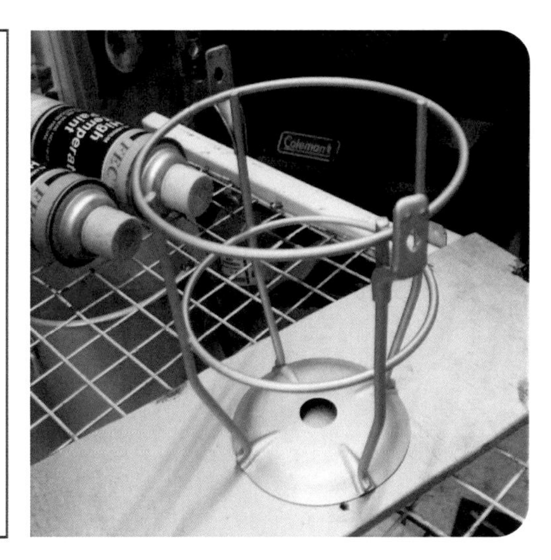

14

연료통 내부청소후,도장작업을 위한 1차 기존페인트 벗기는 작업이다.

15

황동부식인 탈아연 부식자국이 군데, 군데 보인다. 모두 깨끗히 모래샌딩 작업으로 정리될 예정이다.

16

모래 샌딩작업이 진행되면,틈새 곳곳의 찌든때들도 모두 털어 내질거다.

17

민트 색상의 도장작업을 끝내고, 건조 작업 과정을 거치는 중이다.

20

충분한 예열작업을 거친 후, 펌핑을 시작한다.

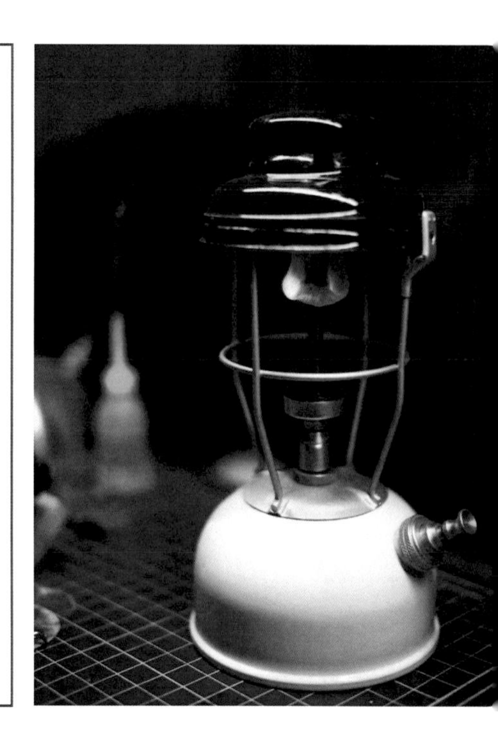

18

전체 조립작업을 시작한다.

21

바이퍼라이저에 쌓인 묵힌 카본 덩어리들이 녹아 올라가면서 버벅 이다가,제대로 된 불빛을 보여주기 시작 한다.

19

기존 바이퍼라이저의 나사선을 살린 후, 조립 및 알콜예열을 진행한다.

22

나름, 불빛은 안정적이며 잘 달려준다.

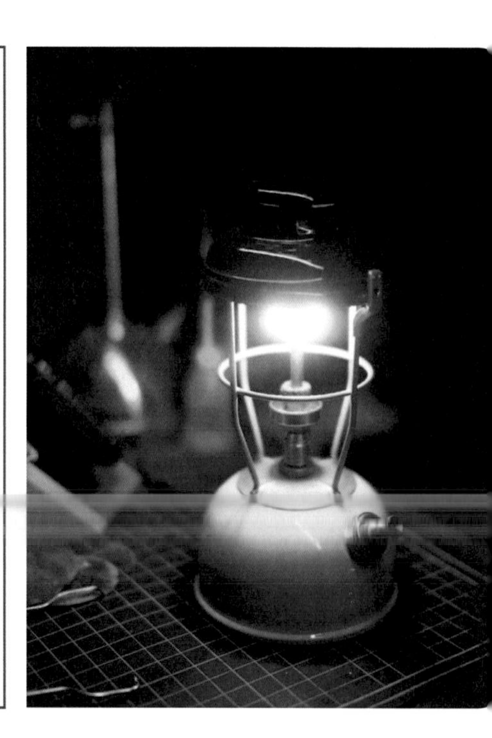

틸리 246A 랜턴 정비 & 수리

1

털리복원작업이다.

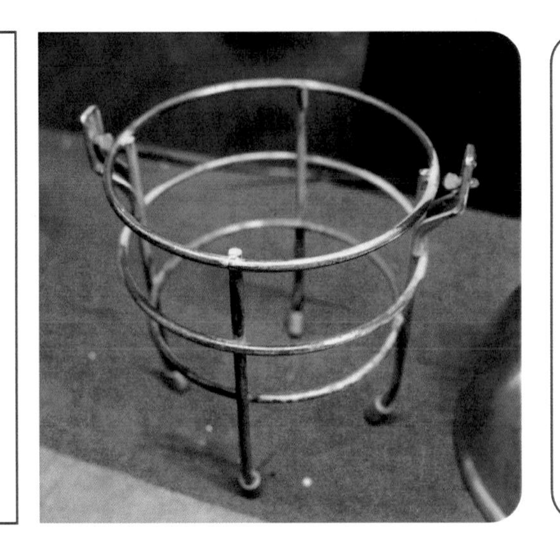

2

프레임과 버너부 모래샌딩작업 및 바이퍼라이져 초음파세척으로 정리를 한다.

3

프레임의 녹소를 제거 하고, 내열 블랙 (검정) 페인트 로 도장작업을 진행한다.

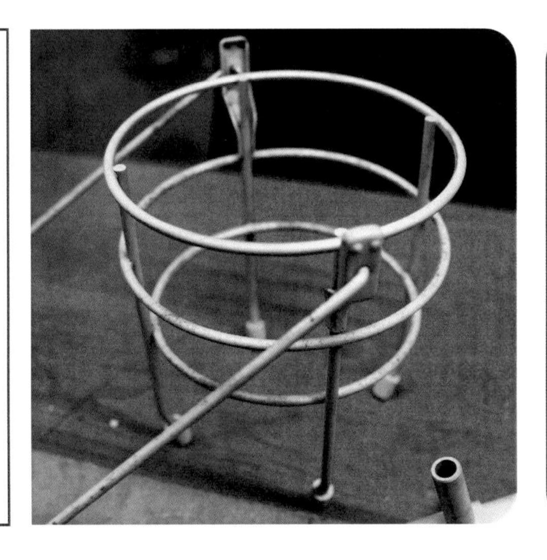

4

버너부는 모래샌딩작업과 내열접착제 작업으로 정리를 한다.

5

프레임 도장전 모습.

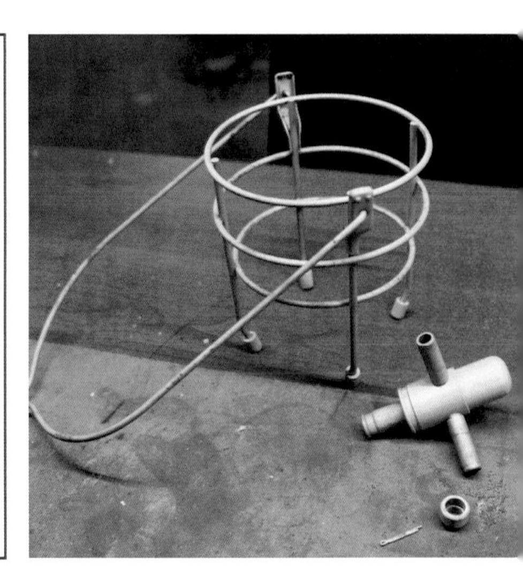

6

펌핑라인 오버홀 작업에 들어간다.

7

펌핑라인 내측부 슬러지제거 및 오일 보충, 외부크리닉 작업 완료.

8

연료통 내측부 약품청소 및 슬러지 빼내기 작업까지 완료.

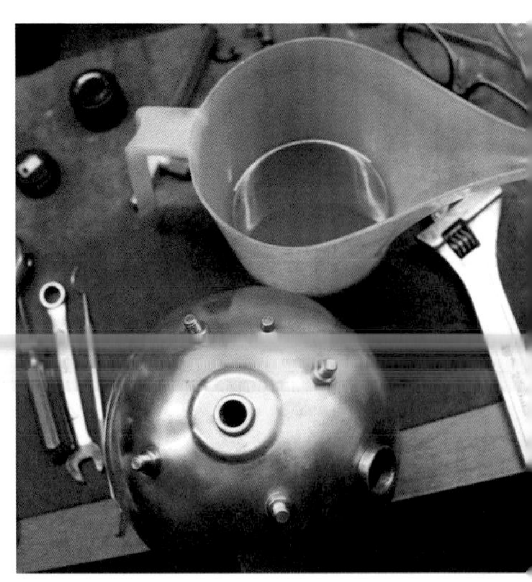

9

연료통 내부의 오래된 슬러지 모습이다.

11

프레임 검정내열페인트 작업 후 건조 및 연료통 청소후 건조 작업 모습이다.

10

연료통 내부세척작업을 끝낸 모습이다.

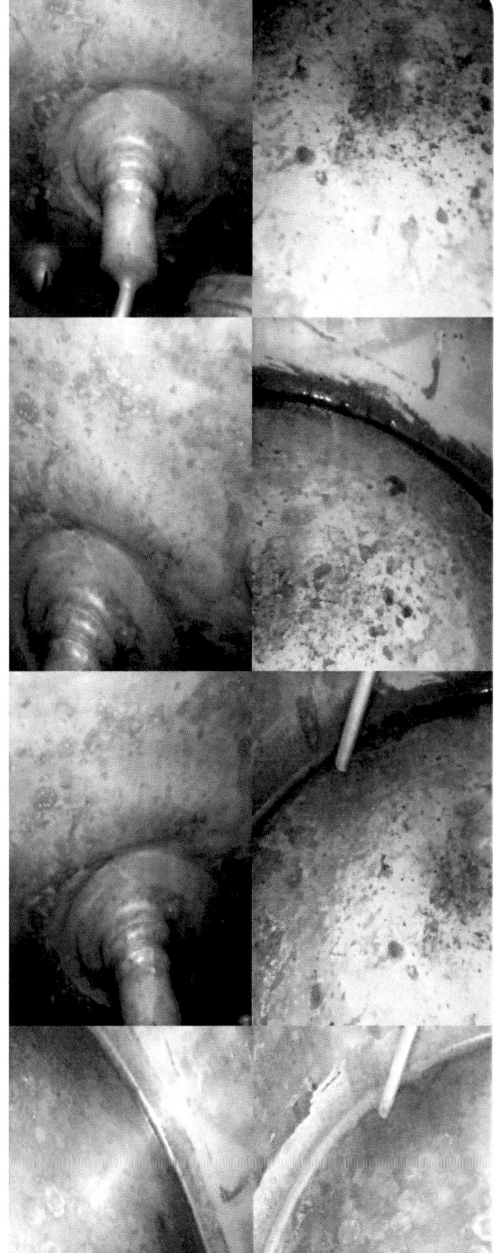

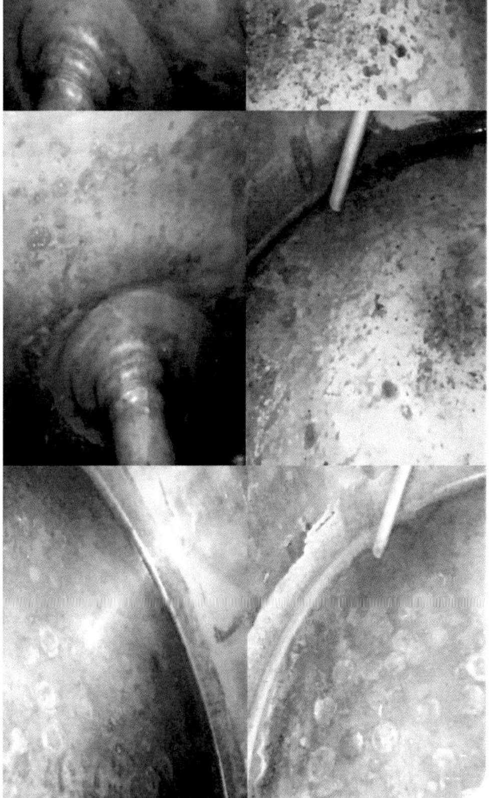

12

TILLEY..

13

X246A 모델.

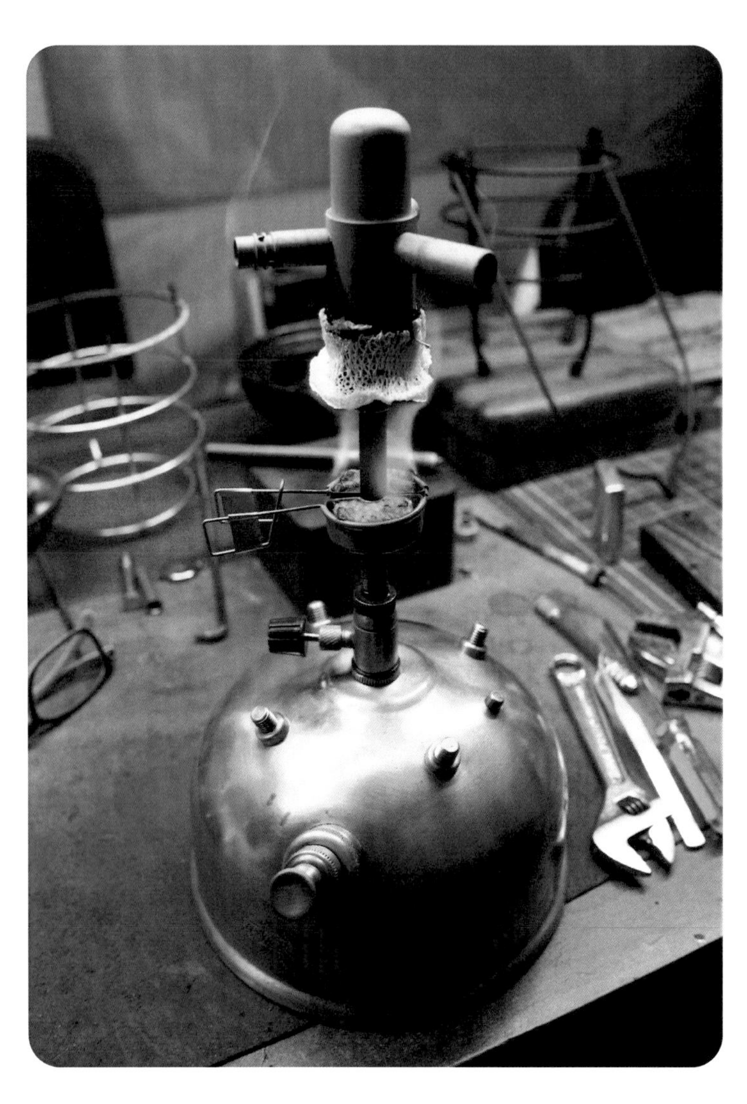

틸리 X246B 랜턴 구성품

TILLEY

TILLEY VAPOURISER 606

STORMLIGHT

TABLE LAMP

Lighting Instructions

To extinguish

Operating hints

Maintenance and replacing parts

TILLEY

TILLEY

TILLEY VAPOURISER 606

To assemble burner and hood/gallery

TILLEY
TILLEY VAPOURISER 606

TILLEY
STORMLIGHT Model X246B
TABLE LAMP Model TL120A
Your Tilley Lamp is easy to use and will provide you with a safe, bright, economical, portable and stormproof source of light. By following the instructions and lighting the lamp two or three times, to gain experience, when you need to use your Tilley Lamp, it will be a simple operation.
USE ONLY CLEAN PARAFFIN (KEROSENE)
NEVER USE PETROL (GASOLENE). IT WILL CAUSE A SERIOUS ACCIDENT.
No oil burning apparatus of any kind should be used in an unventilated room. An open fireplace or a slightly opened window, or the equivalent, is sufficient.
To assemble the Stormlight
To assemble the Table Lamp
THE TILLEY LAMP COMPANY LIMITED
Dunmurry Belfast Northern Ireland

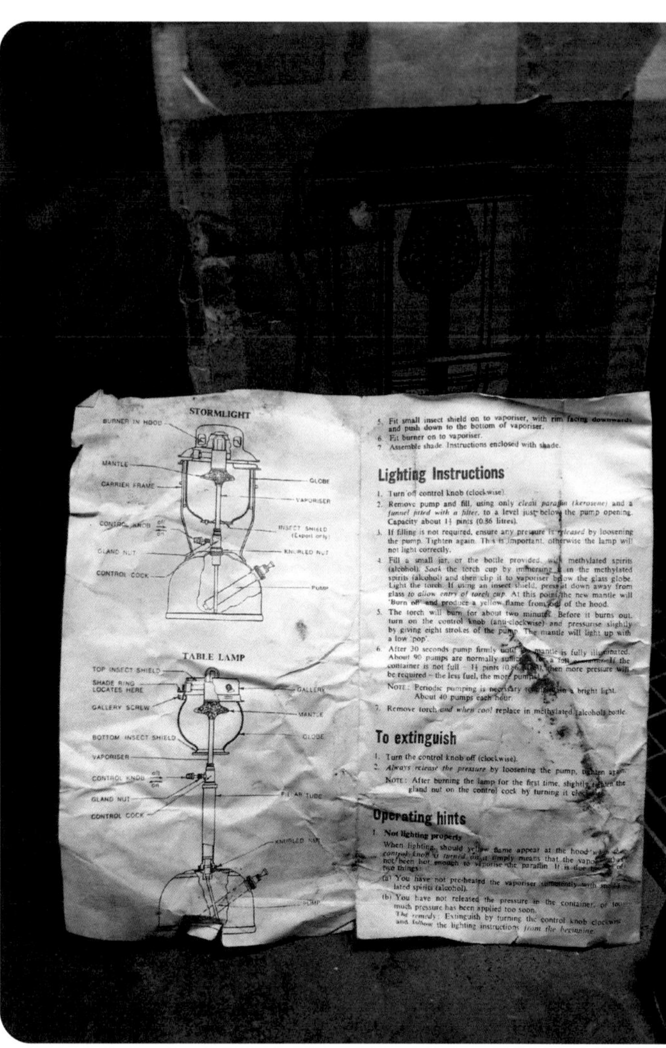
STORMLIGHT
TABLE LAMP
Lighting Instructions
To extinguish
Operating hints

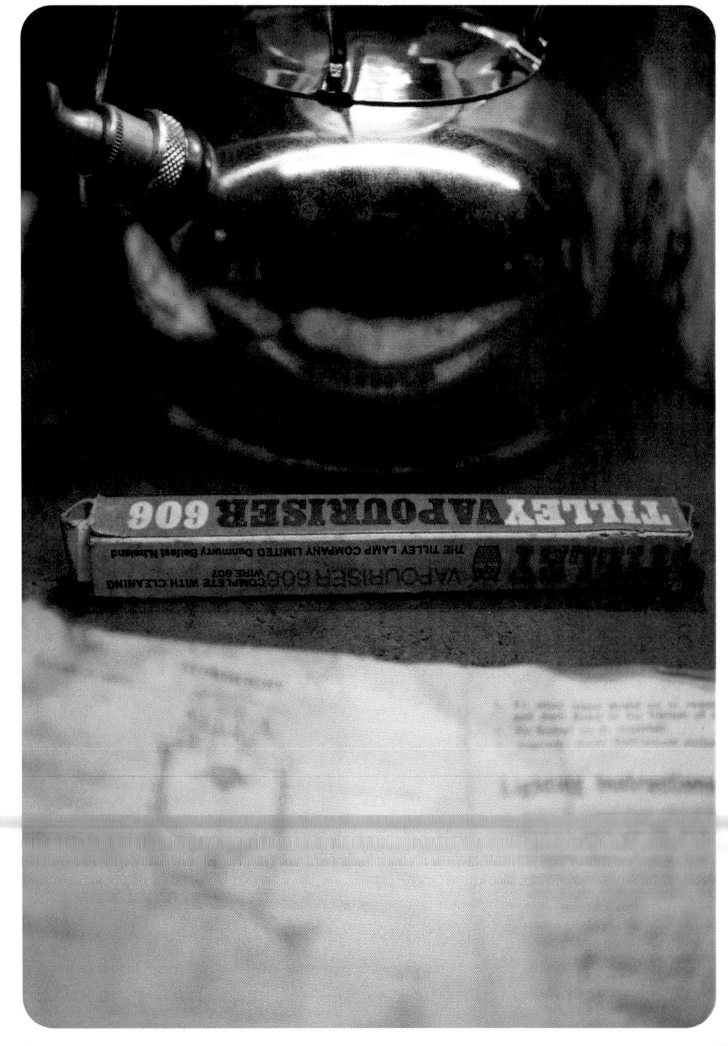
TILLEY VAPOURISER 606
THE TILLEY LAMP COMPANY LIMITED Dunmurry Belfast N.Ireland

TILLEY
TILLEY VAPOURISER 606
Lighting Instructions
Maintenance and replacing parts

틸리 X246B 단면도 제작 과정

1

틸리랜턴의 단면도를 만들고자 지인분에게 부탁해 이베이에서 구했다.

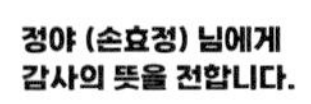
정야 (손효정) 님에게 감사의 뜻을 전합니다.

2

틸리랜턴의 연료통도 두께가 상당한 편이다.

3

최대한 연료통 내측부 모습을 볼수 있도록 절단라인을 잡고 드릴작업 후 미니 그라인더로 조심히 잘라낸다.

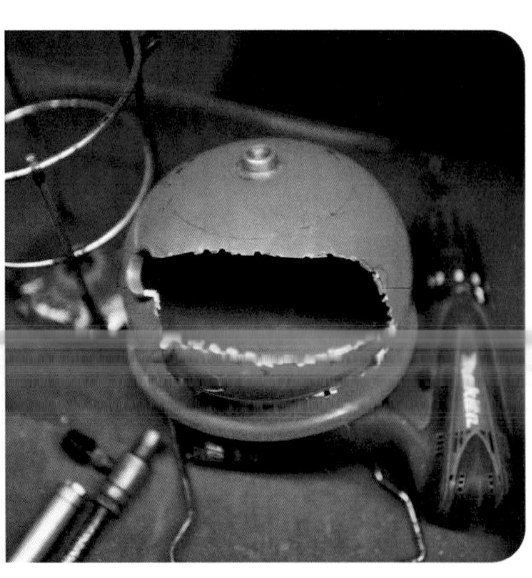

4

절단한 면을 벌려 놓은 모습.

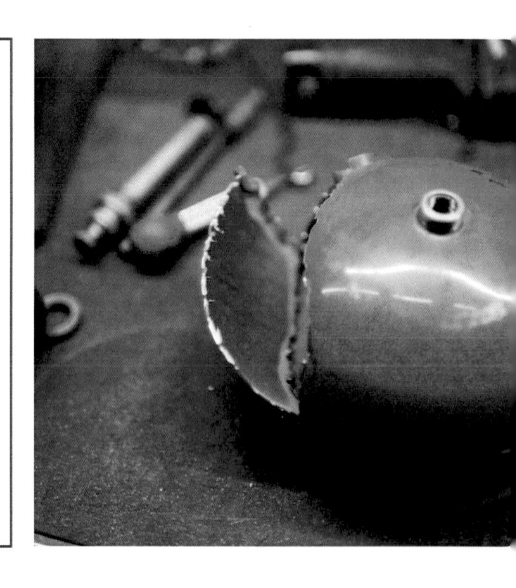

5

절단면의 날카로운 곳을 모두 줄로 갈아내는 작업을 진행한다.

6

펌핑라인 및 연료 주입구 단면을 보여주기 위해,구멍라인의 1 / 4선만 잘라낸다.

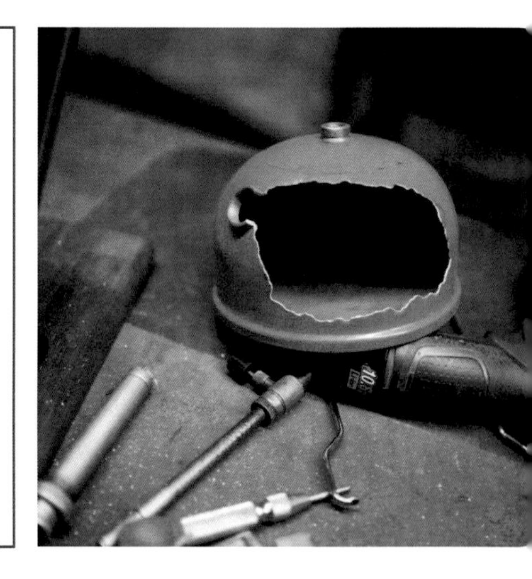

7

추후,컨트롤 콕 라인을 좀더 디테일하게 보여줘야하는 상황을 고려해봐야 한다.

8

틸리랜턴의 연료통 내부에는 하부 연료이송관이 붙어있다. 이송관 라인의 내측부까지 보여야하기에 절단면을 넓혀야 한다.

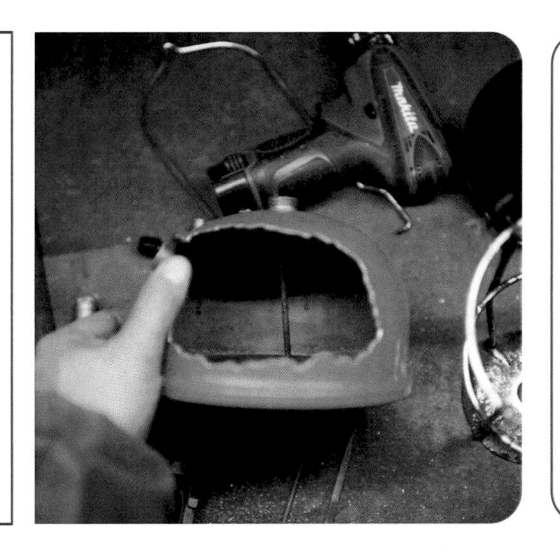

9

연료통 내측부 비드샌딩으로 깨끗히 털어내고, 펌핑라인을 가조립해본다.

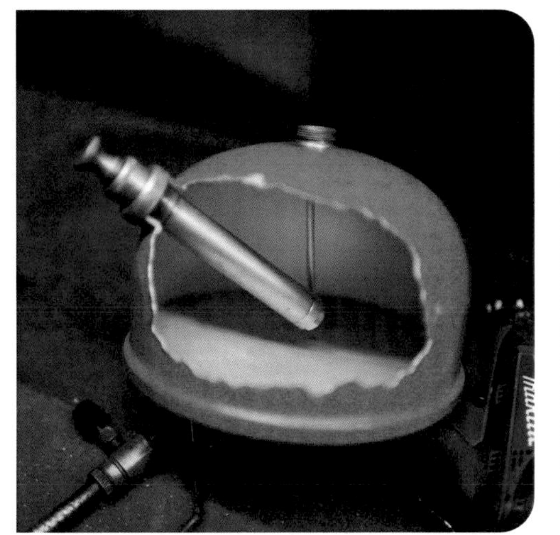

10

연료통 내측부 연료 이송관과 펌핑라인의 디테일 절단면을 위한 라인고민을 해본다.

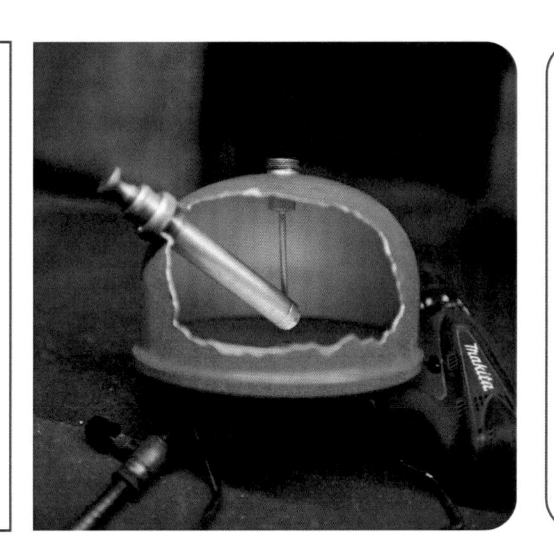

11

결론은 프레임 고정 및 하부이송관 라인까지 좀더, 절단작업을 진행하기로 결정을 내린다.

12

상단 프레임을 임시 고정시켜 본다.

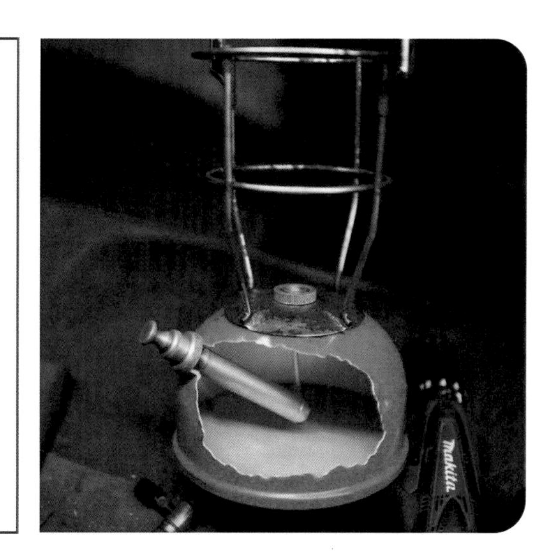

13

추가 절단을 위해 라인선을 그려 본다.

14

틸리버너부의 절단 작업이다.

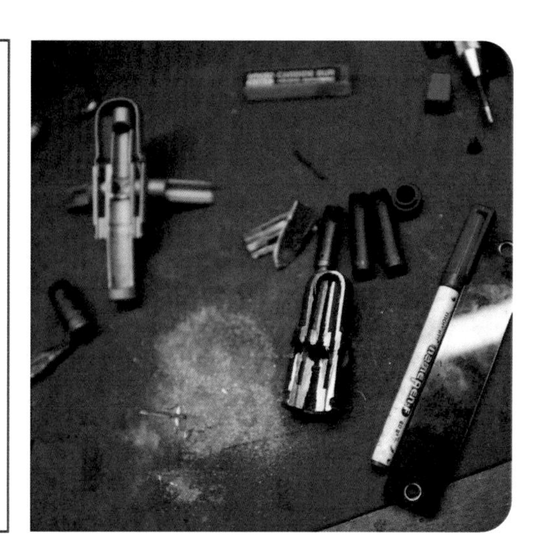

15

버너부를 분해 후, 각 부품별 절단 및 비드샌딩작업을 진행한다.

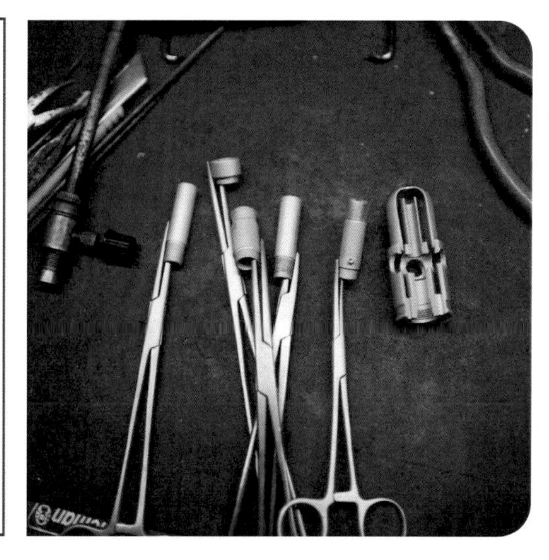

16

절단단면의 단차를 확인하고 갈아낸 후, 다시 비드샌딩작업을 진행한다.

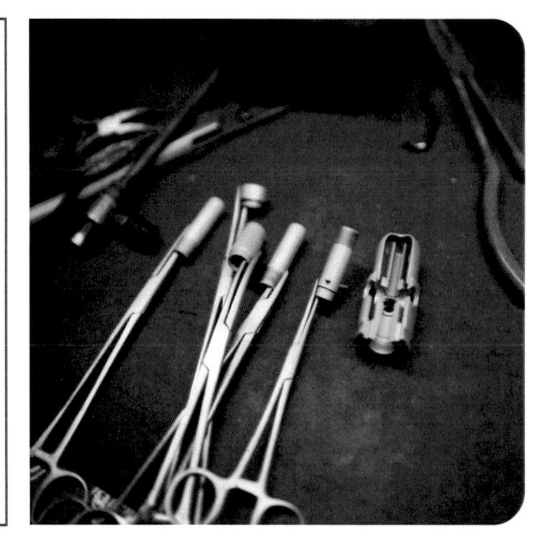

17

틸리 버너부를 조립 한다.

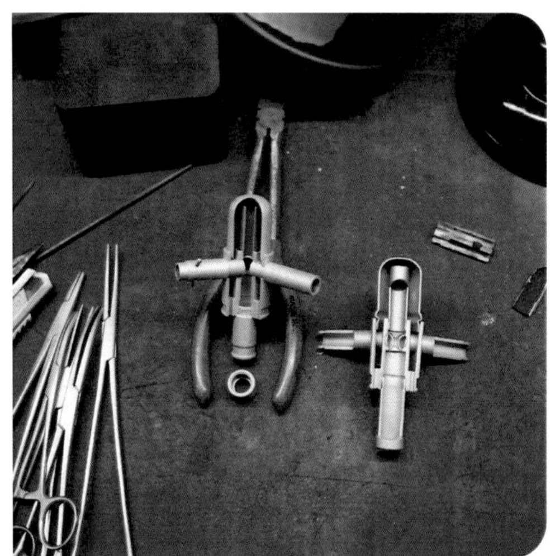

18

비알라딘 T10의 버너부와 비교를 해본다.

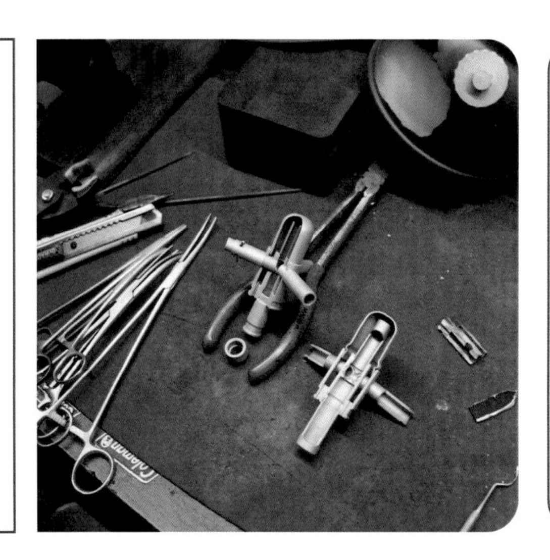

19

베이퍼룩스나 비알라딘,틸리 버너부는 거의 비슷하다. 각각의 버너부 절단면을 다르각도로 볼수있게 고민해본다.

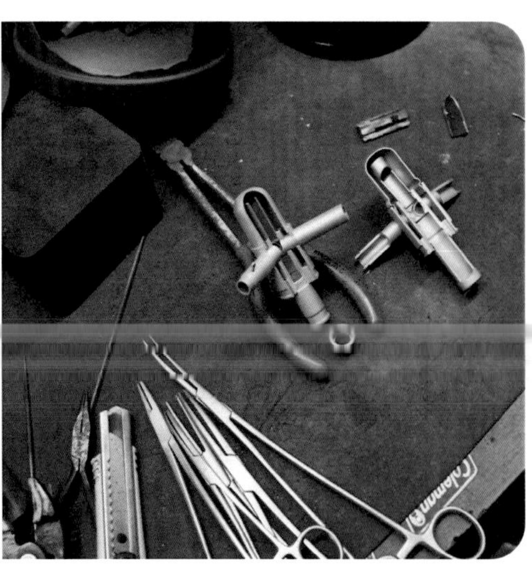

20

틸리와 비알라딘 T10 버너부

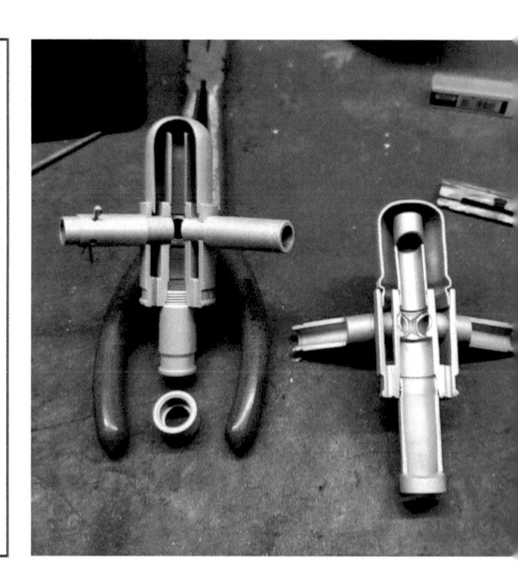

21

절단면을 완성 및 조립이 완료된 틸리 버너부.

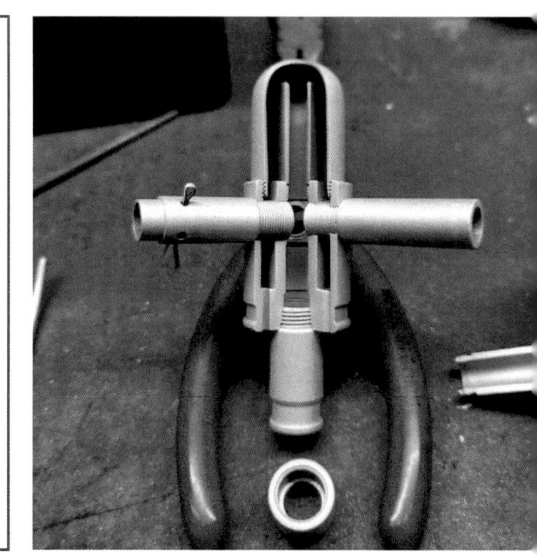

22

비알라딘 T10의 버너부.

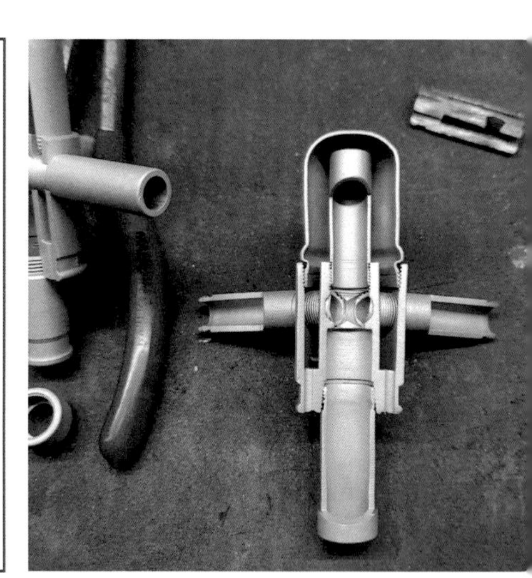

23

틸리랜턴에 버너부를 가조립을 해본다.

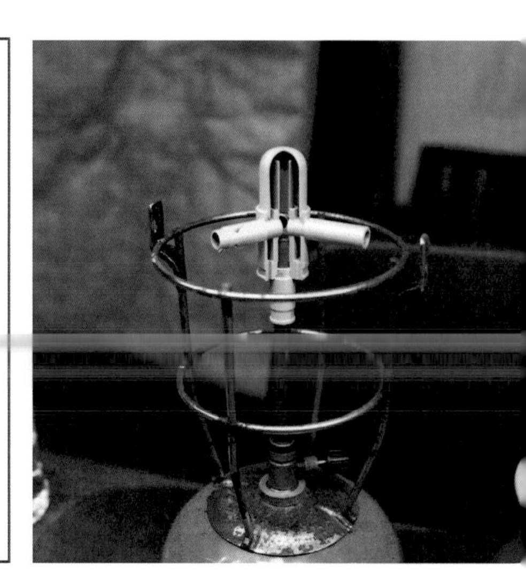

24

하부 연료통상단부를 조금더 절단을해서 하부연료 이송관 내측부를 디테일하게 볼수있도록 절단면을 좀더 정리했다.

25

전체 도장작업 전 전장 조립을 해본다.

26

가조립한 부품을 다시 분해한 후,연료통에 기존 모래샌딩 작업을 한다.

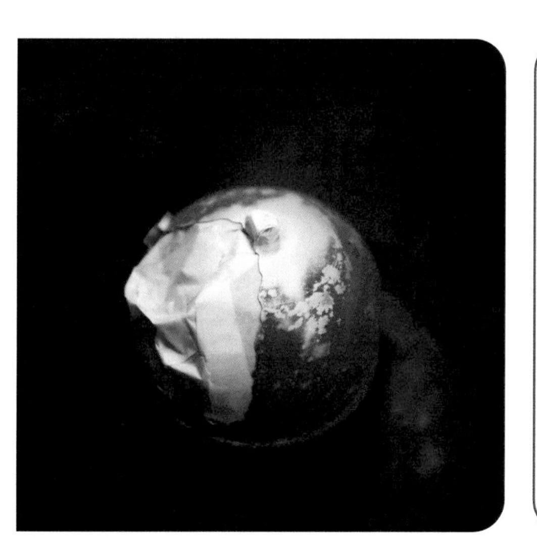

27

연료통 내측부에 페인트가 들어가지 않도록 마스킹 작업을 진행한후,도장 작업대에 올려둔다.

28

마스킹작업 라인의 틈새를 한 번 더 확인한다.

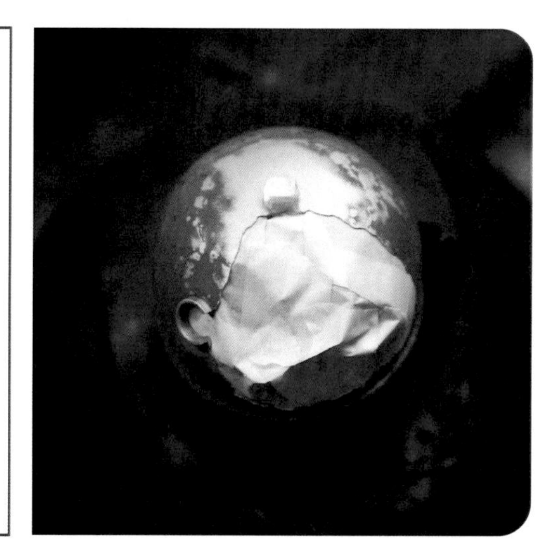

29

기존 빨강페인트 도장작업을 한 후, 무시동 히터라인에서 건조를 진행시킨다.

30

상단 후드부도 라인절단후,검정페인트로 도장작업과 건조작업을 함께 진행한다.

31

프레임 녹소를 모두 모래샌딩으로 정리 한후, 은색 페인트로 도장작업과 건조를 진행한다.

32

틸리랜턴 컨트롤 콕의 단면작업과 조립 세팅을 진행한다.

33

디테일 및 작동 가능여부 상태를 꼼꼼히 확인한다.

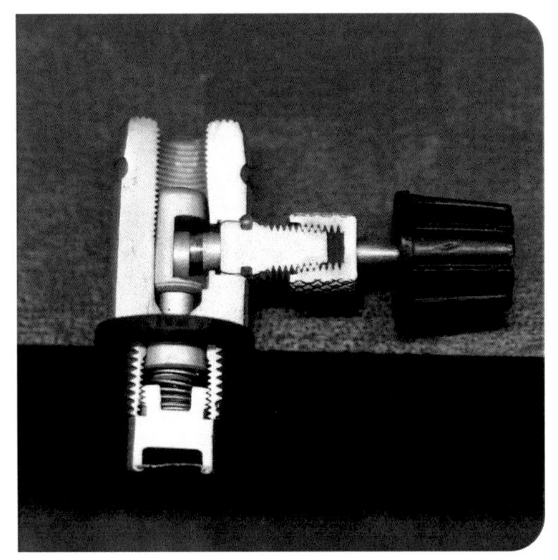

34

전체 조립전, 틸리랜턴 버너부 모습.

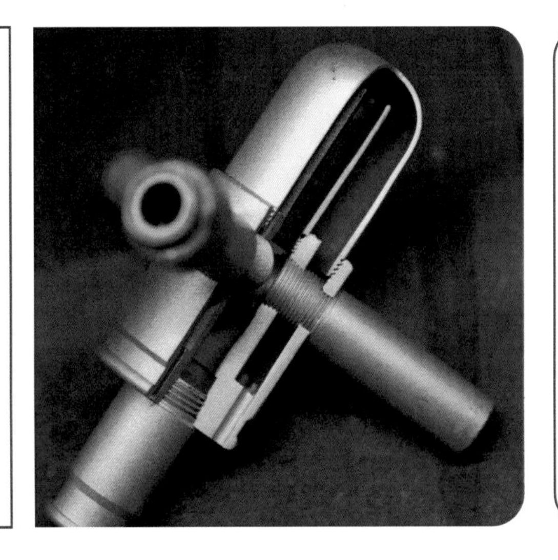

35

도장작업이 필요한 모든부품들은 건조작업까지 끝냈다.

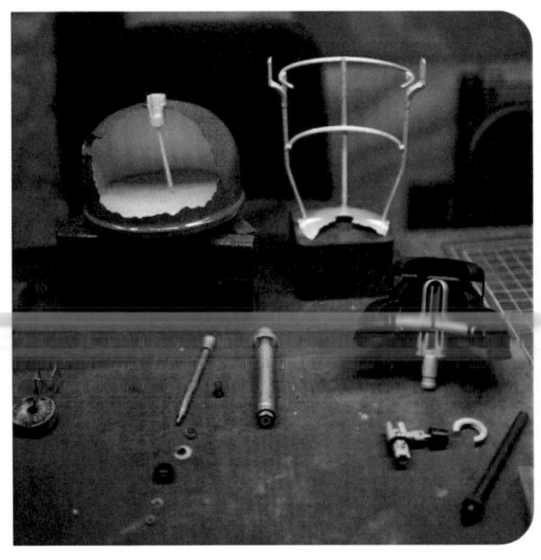

36

각각의 부품별 조립까지 정리된 모습이다.

37

그사이, 마지막 펌핑라인 부품 단면을 만들기 위해, 절단작업이 진행된다.

38

펌핑라인 절단 중, 연료통 단면과 맞지않아 펌핑부품 뭉치를 하나 더 구해서, 다시 절단작업을 진행한 모습이다.

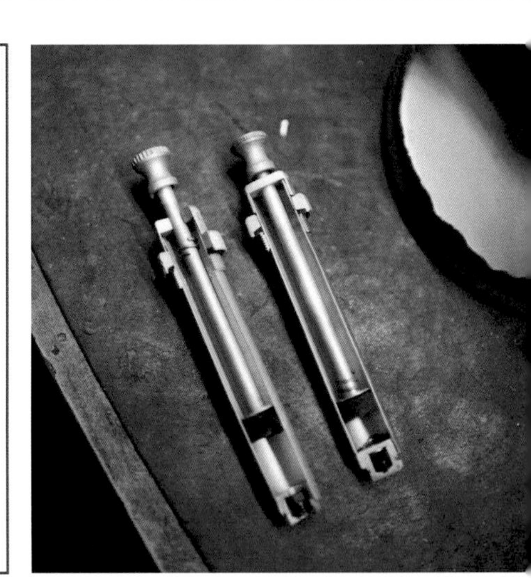

39

최종 각 부품을 모두 조립한 단면도가 완성된 틸리 랜턴의 모습이다.

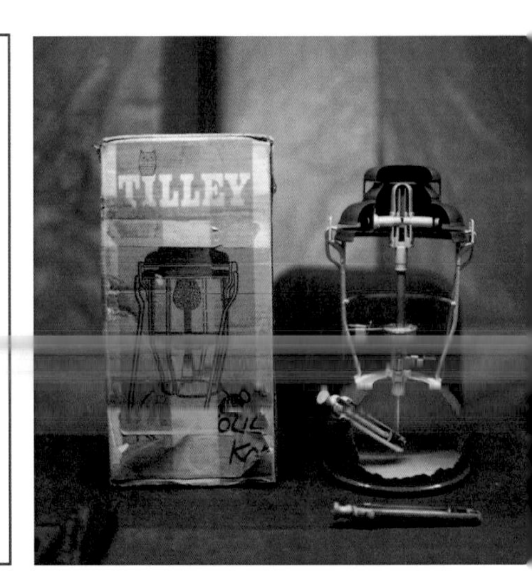

40

각 부품별 절단면이 조화를 이루는지 확인을 해본다.

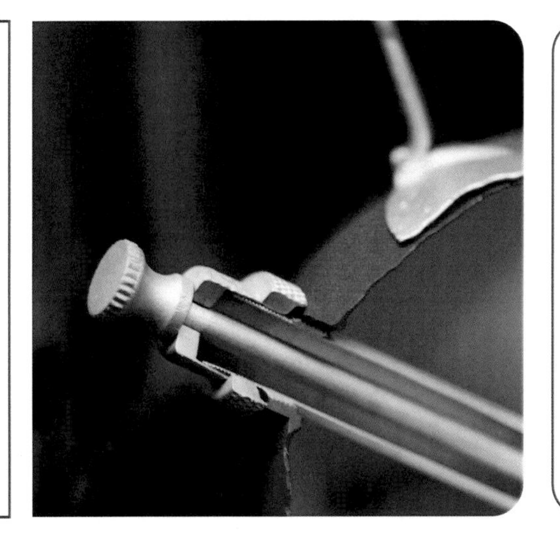

44

버너부 내측부 바이퍼라이저 중앙 청소로드 침까지 확인가능한 모습이다.

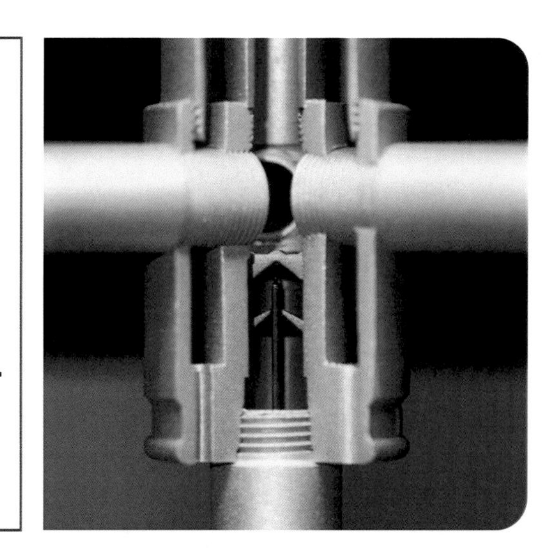

41

펌핑끝단 체크밸브라인 디테일 모습.

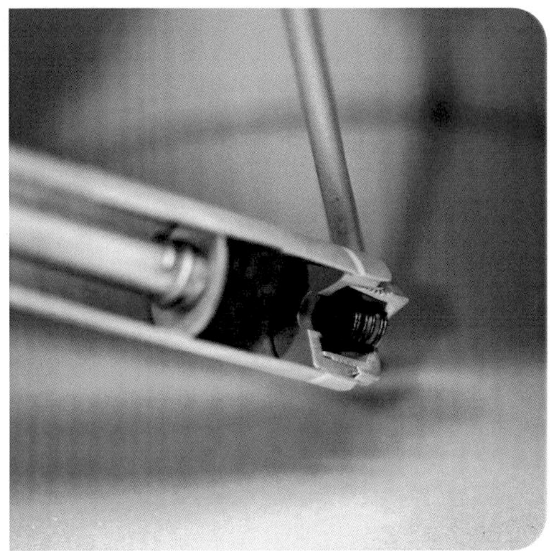

45

버너부 상단 믹싱튜브 돔 내측부 기둥과 범랑후드와 공기주입 통로 끝단체결 모습을 볼수 있다.

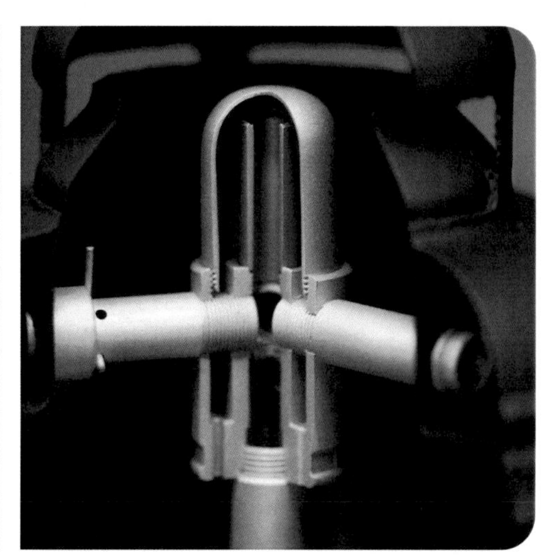

42

예열기 및 컨트롤 콕 디테일모습이다.모두 작동상태를 확인할 수 있다.

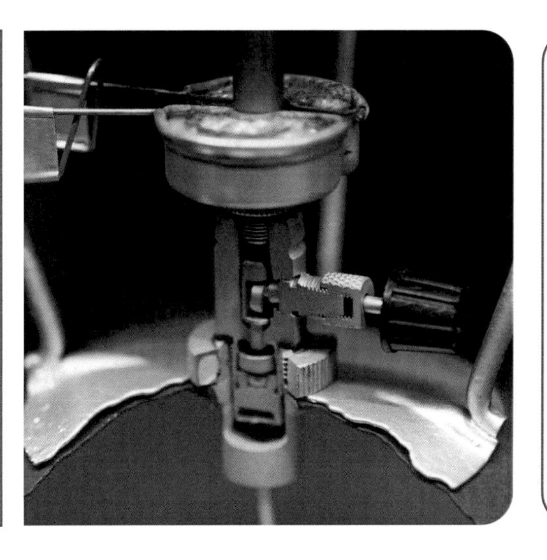

46

상단뷰에서 본 틸리단면 랜턴의 모습.

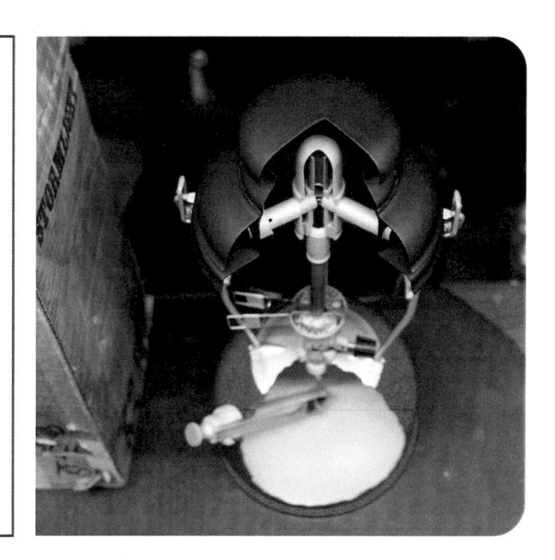

43

컨트롤 콕 하단의 체크밸브 및 연료 거름망까지 확인가능하다.

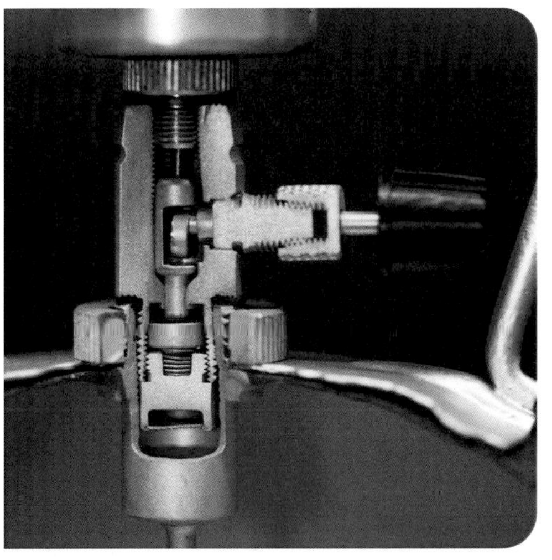

47

연료통 전체 디테일 모습.

STORMLIGHT

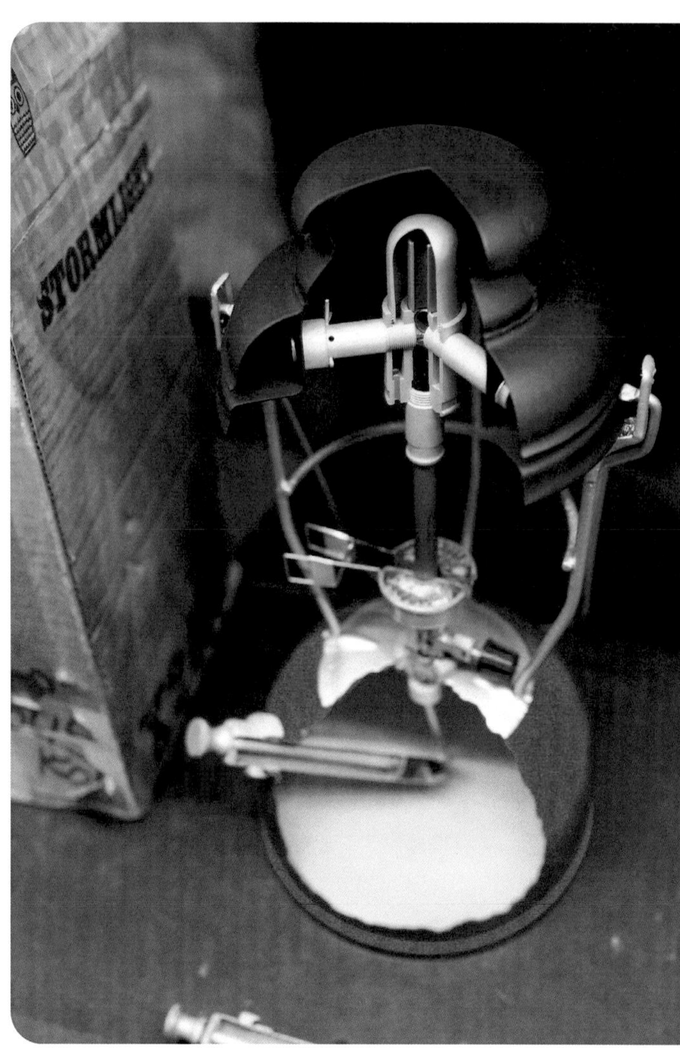
STORMLIGHT

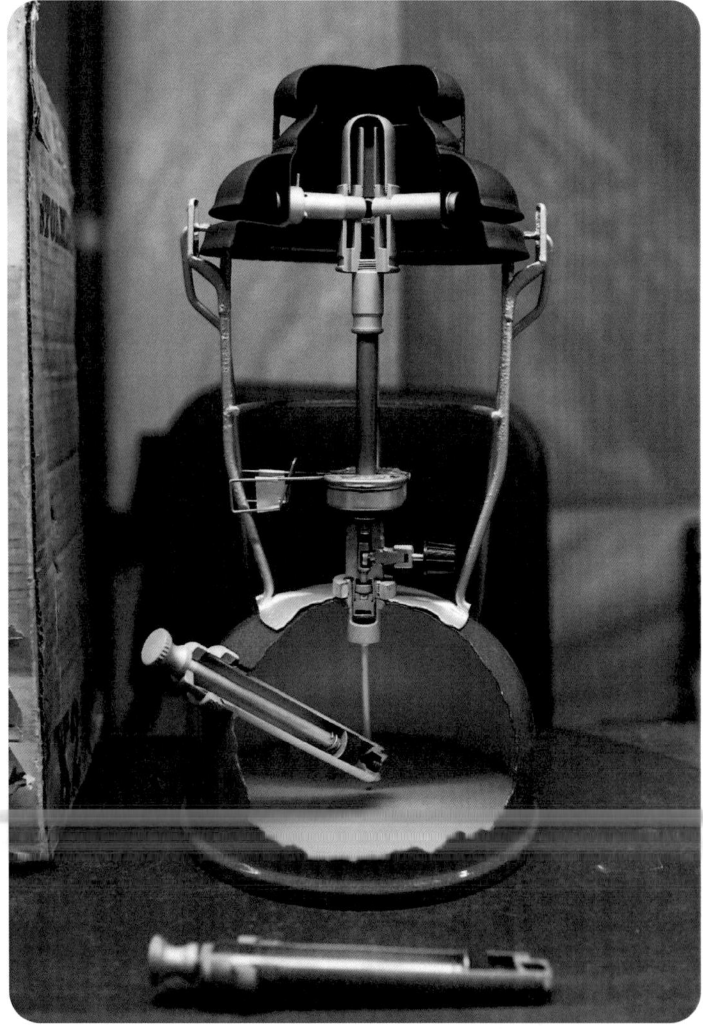

비알라딘 310 랜턴 단면도

BIALADDIN 310 랜턴

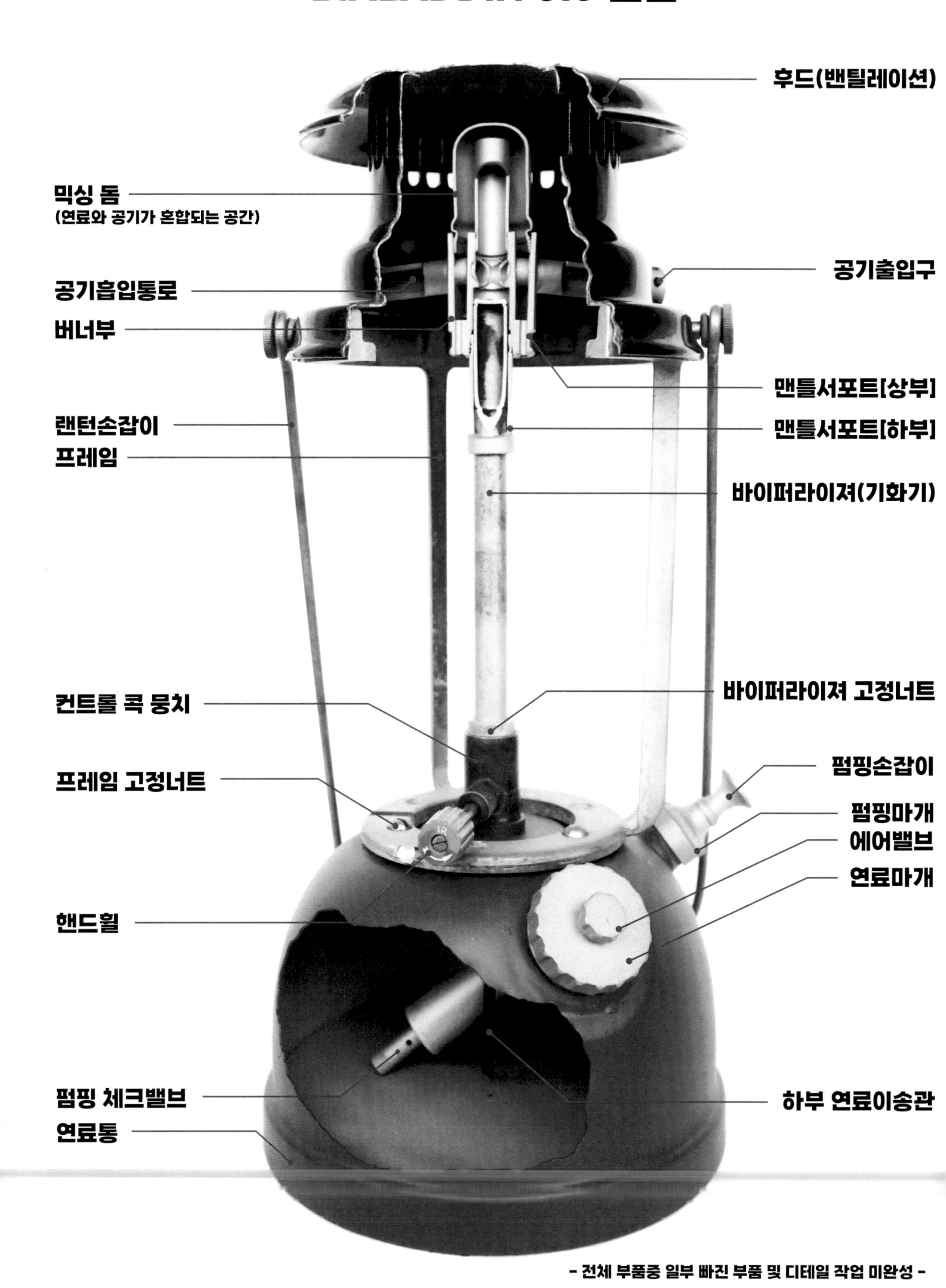

- 전체 부품중 일부 빠진 부품 및 디테일 작업 미완성 -

BIALADDIN 310 랜턴

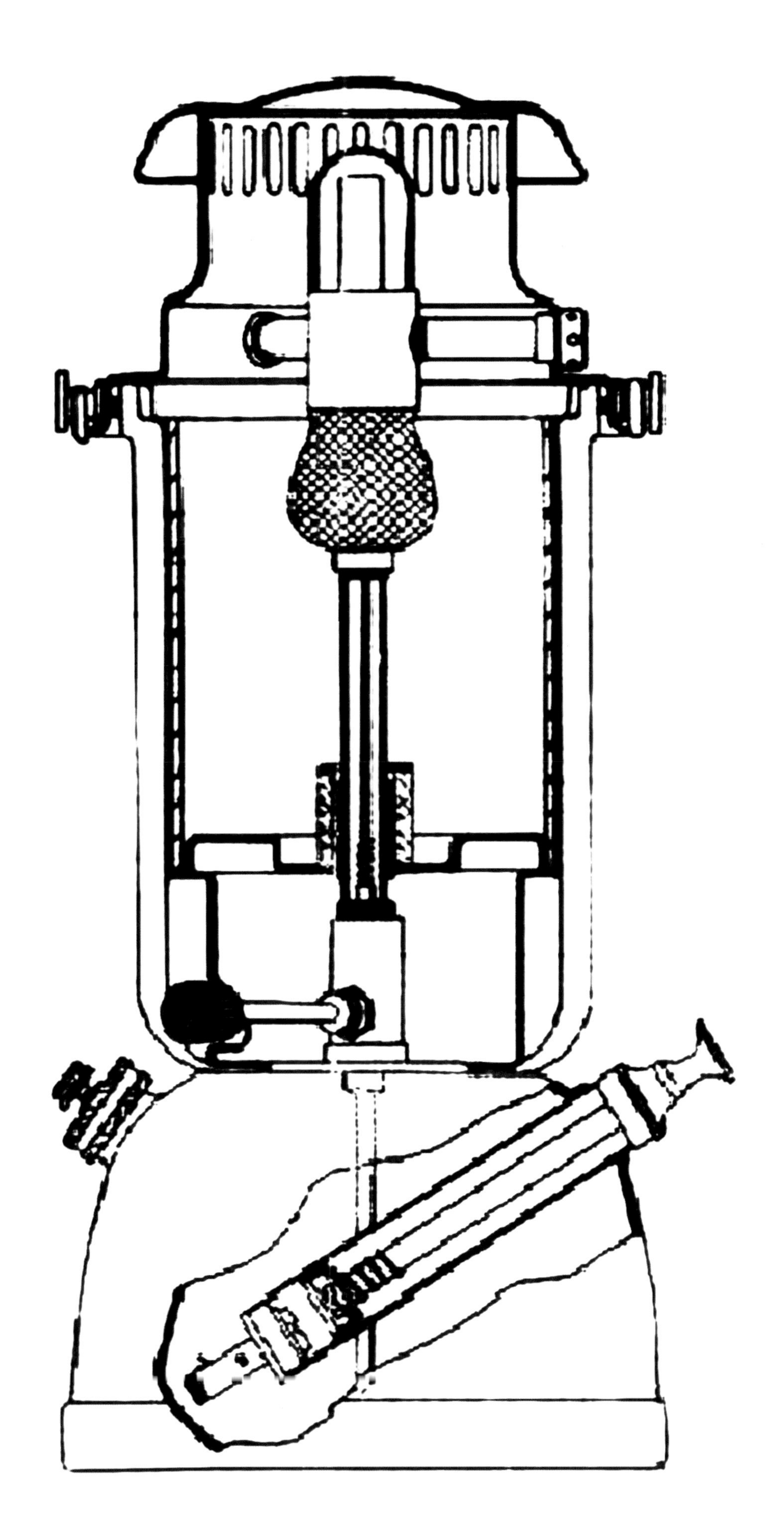

BIALADDIN 310 랜턴 버너부 & 작동원리

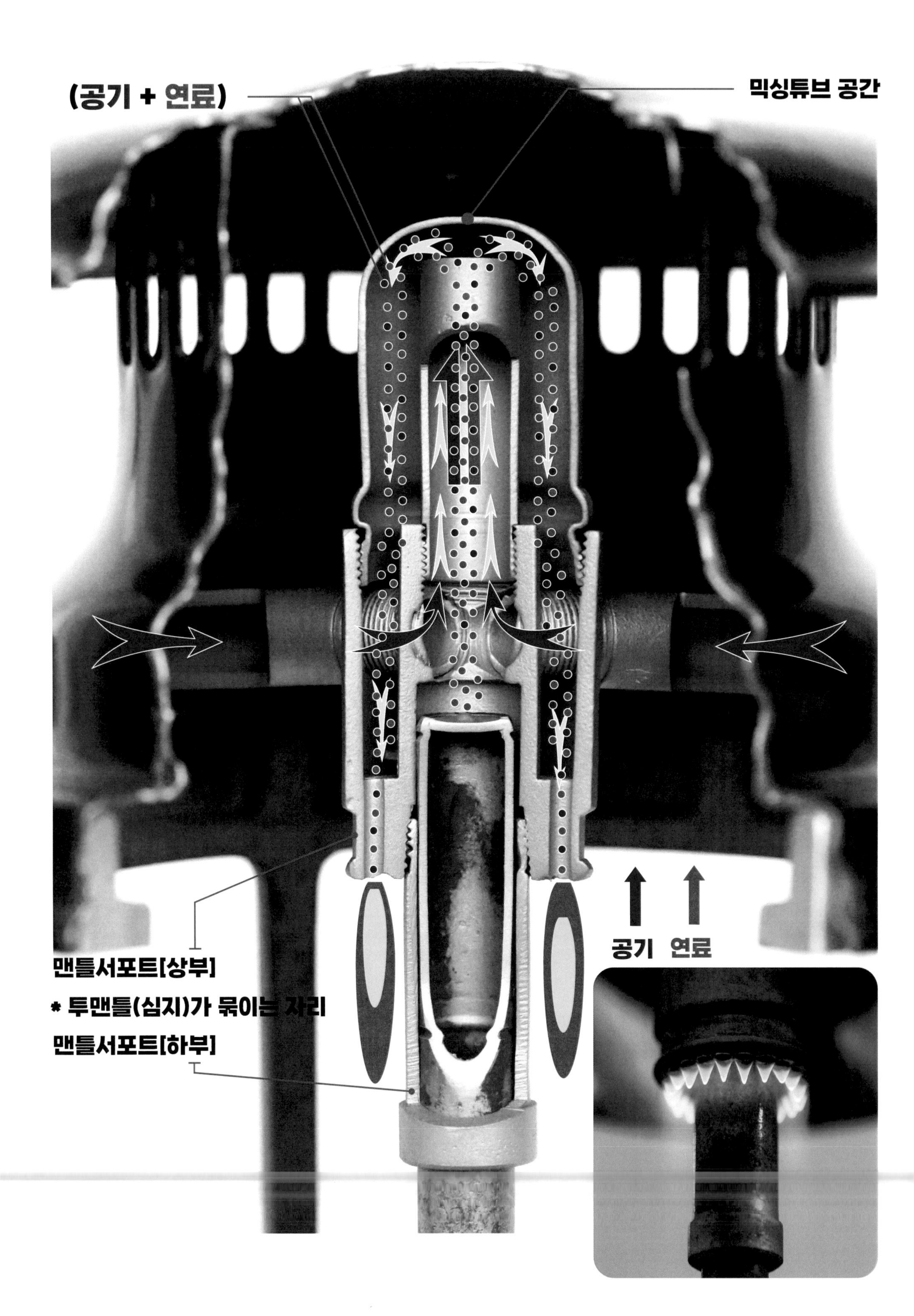

비알라딘 310 랜턴 연료통

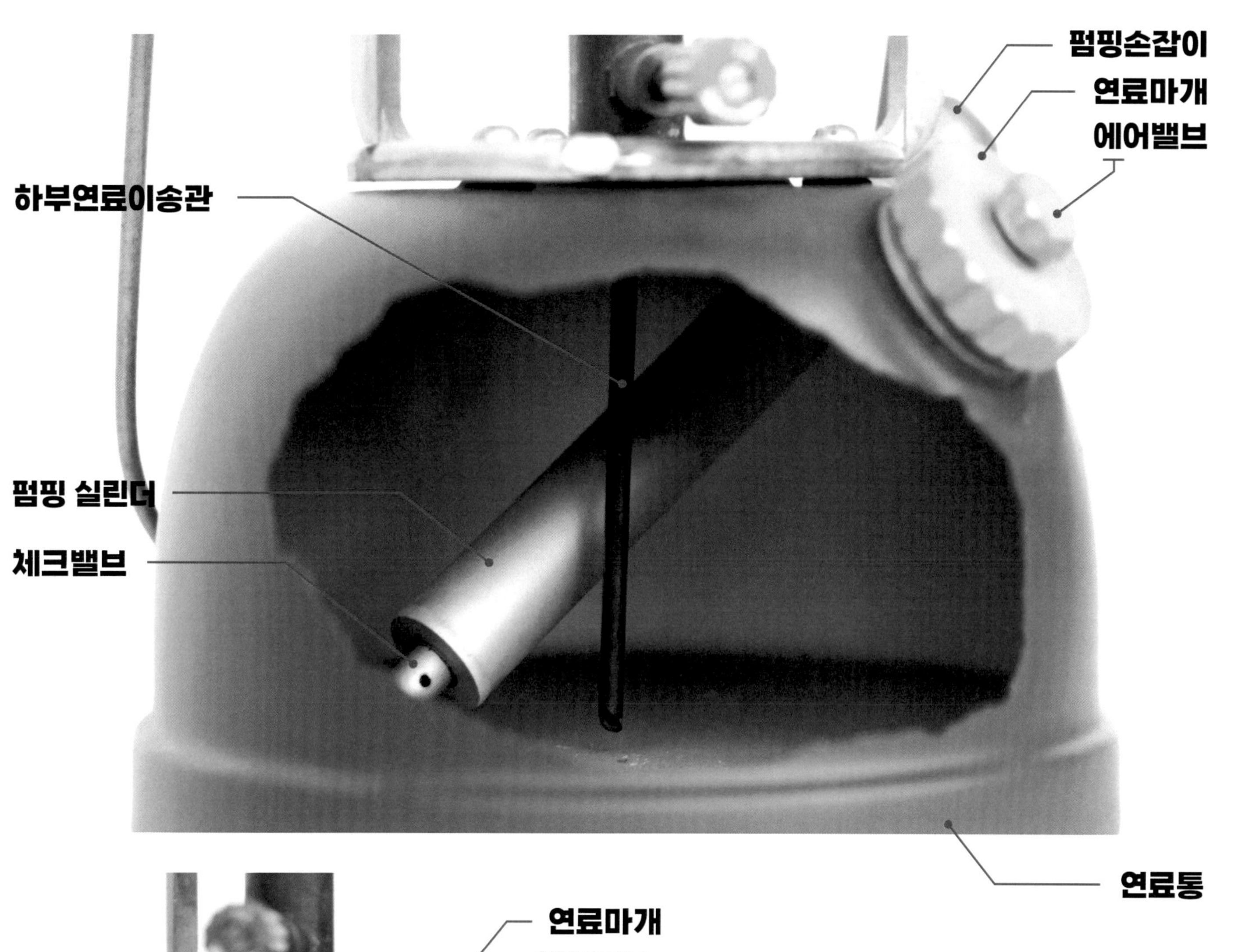

연료마개
에어밸브
하부연료이송관
펌핑 실린더
체크밸브

[TIPS]

비알라딘 랜턴의 연료통과 베이퍼룩스 연료통 재질은 황동재질이다.

아울러, 등유 랜턴중 연료통 두께가 상당히 두꺼운편에 속하며, 부식 및 크렉에 강한편이다. 실제, 주유구의 부식이나, 크렉이 난 연료통을 구경해본 적이 별로 없다.

비알라딘 310 랜턴 단면 제작

1

연료통은 비알라딘(Bialaddin)300랜턴 계열이다. 프레임과 후드부는 비알라딘(Bialaddin) 310의 부품이고, 컨트롤 콕은 'IR' 버전의 부품이다.

2

조합형 단면도 랜턴이며,가장 비슷한 랜턴의 이름으로는 비알라딘(Bialaddin) 310 랜턴의 모습이라고 보면된다.

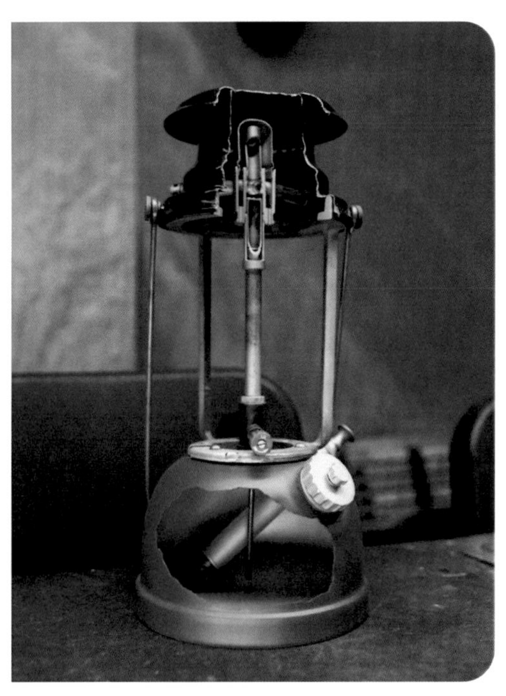

3

아쉽게도 부품이 빠진 것 중, 글로브 하단받침대 역할을 하는 알루미늄 목대가 없는 상태의 단면도 랜턴이라고 보면 된다.

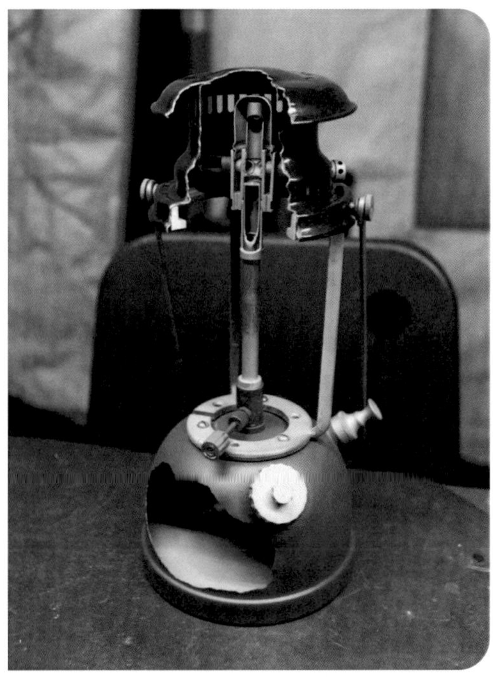

4

작업장에 부품으로 있는 몇종류를 조합해서 가장 비슷한랜턴을 보여주고자 만든목적이다.

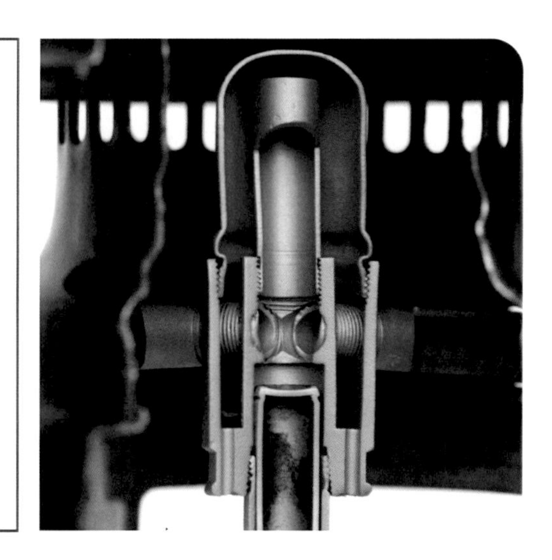

5

1950년대 초, 'IR' imbar reserch 사 (비알라딘 310랜턴의전신)에서 만든 컨트롤콕 부품이다.

6

연료통 내측부 하부 연료이송관 라인과 펌핑 실린더와 체크밸브의 모습이 보인다.

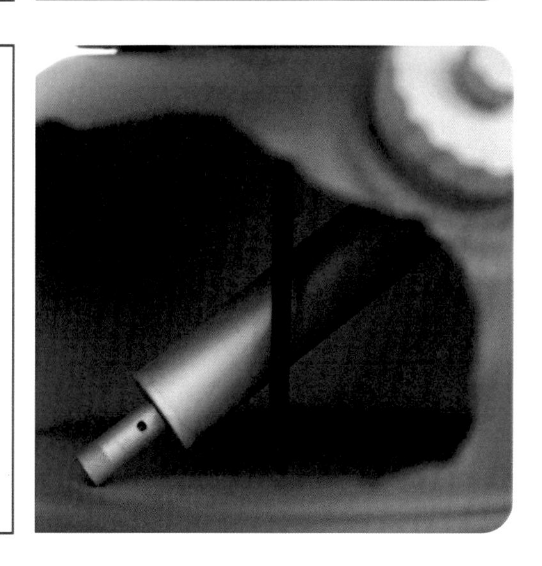

7

비알라딘 랜턴(Bialaddin) & 베이퍼룩스 랜턴(Vapalux)들을 다양하게 보여주고싶어만든 조합형 랜턴으로 보면 된다.

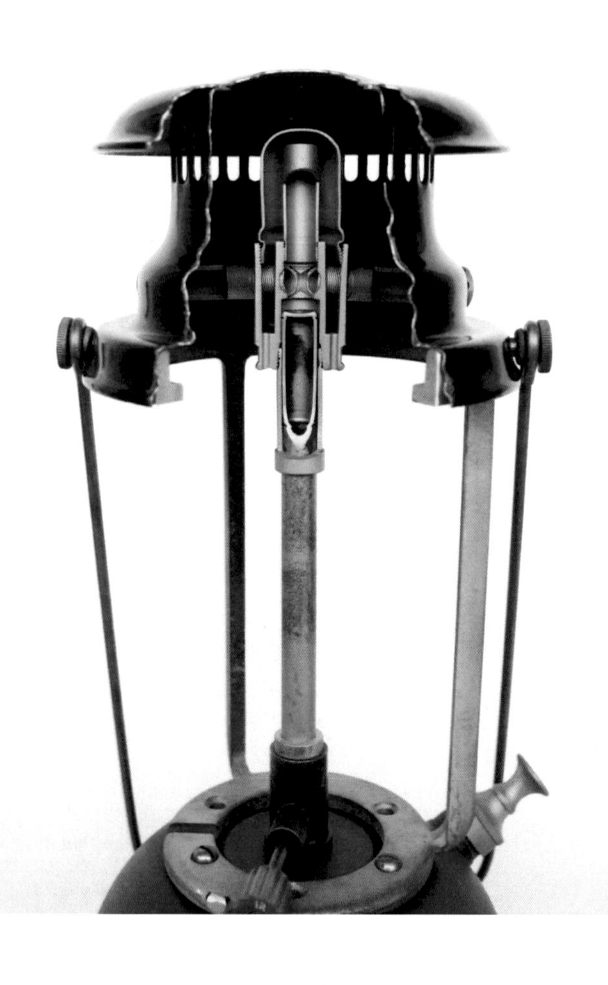

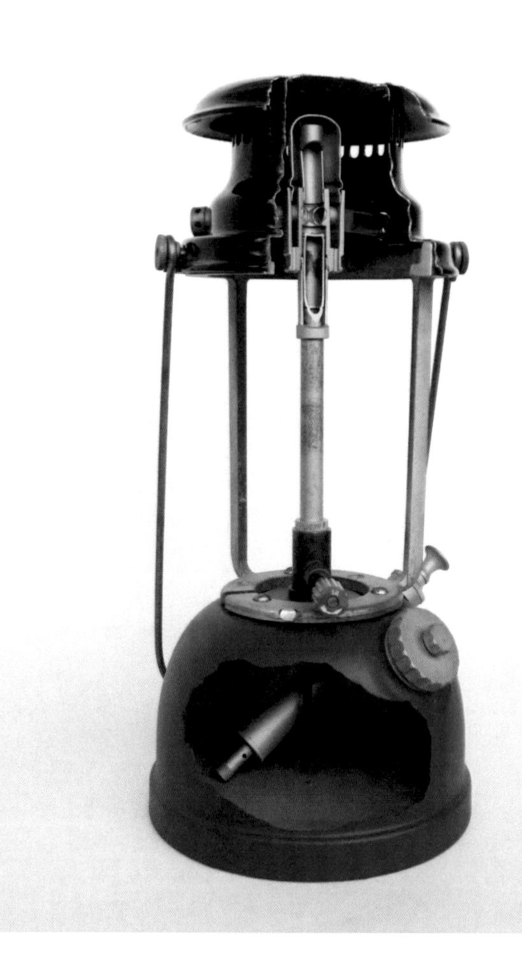

비알라딘 310 랜턴 단면도 뷰

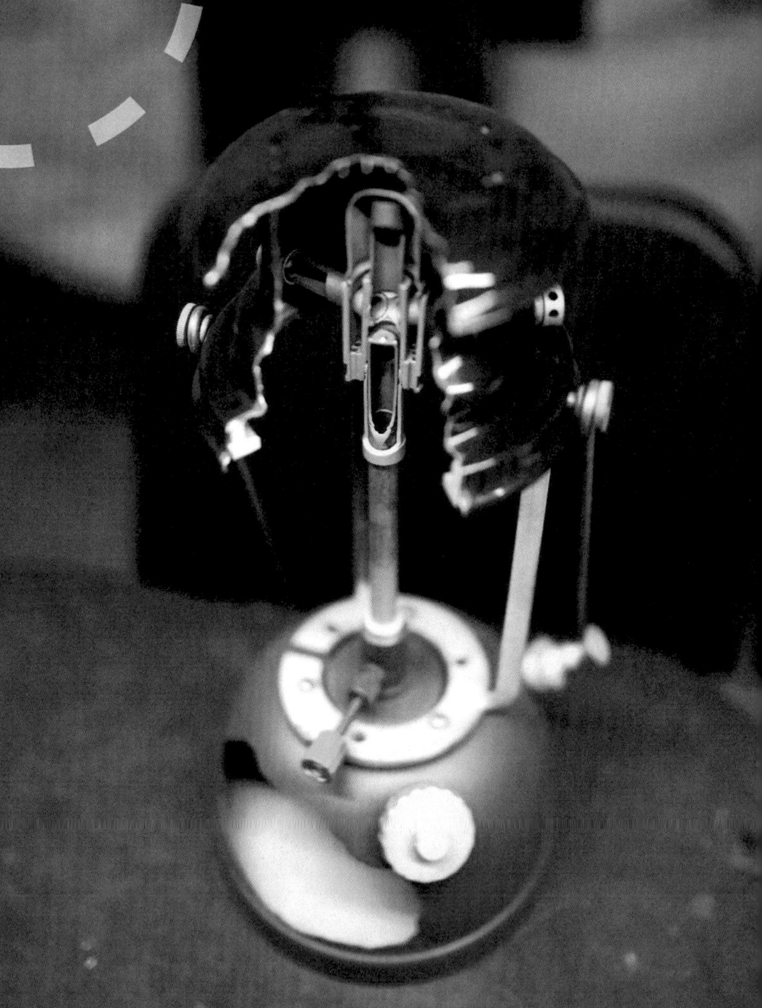

비알라딘 랜턴 T10 단면도
Aladdin

비알라딘 T10 단면도

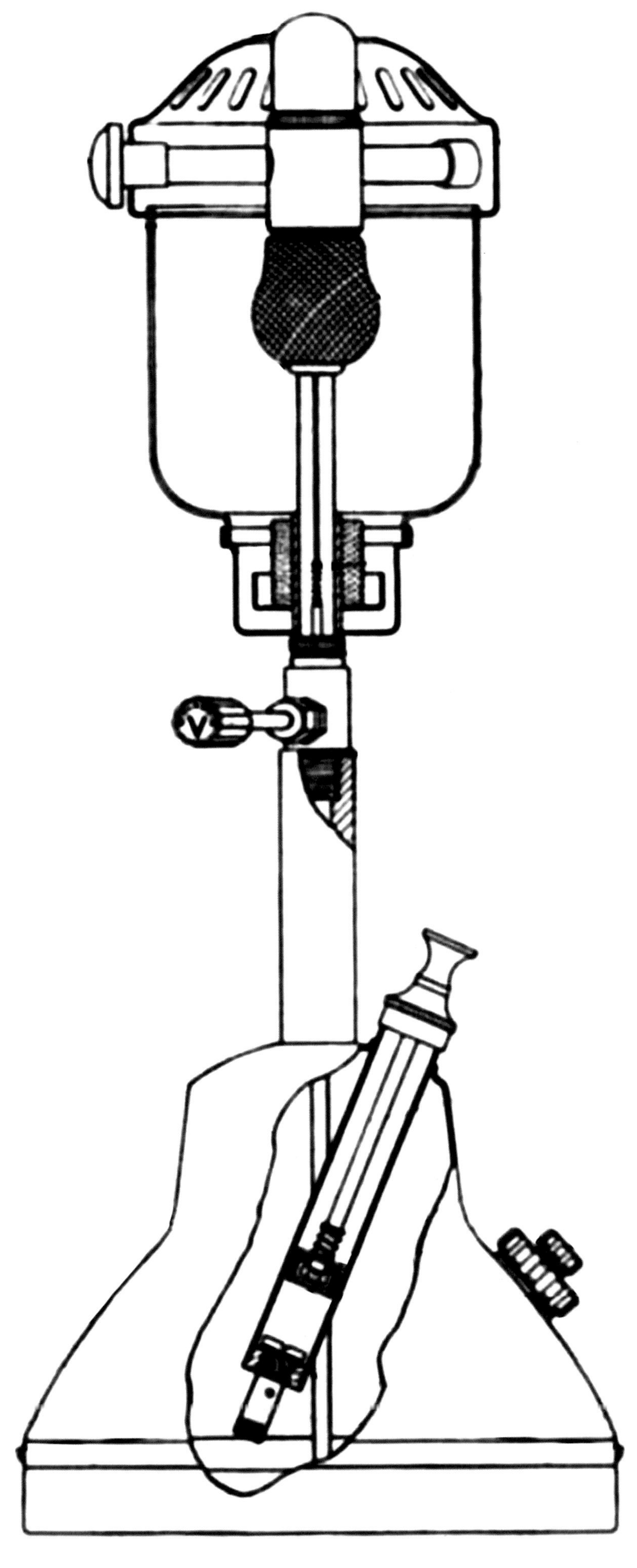

비알라딘 T10 단면도

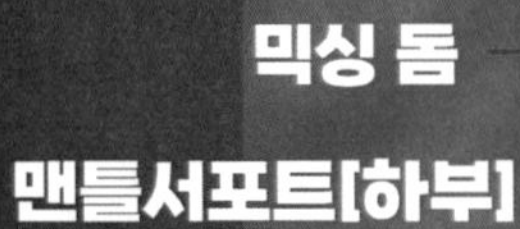

버너부 작동원리

버너부 분해도

알라딘 T10 커스터마이징 작업

1

비알라딘(Bialaddin) T10 테이블 랜턴의 전체오버홀 및 커스텀 작업이다.

2

삐딱한 목대와 컨트롤 콕을 분해하여, 하단부를 보니, 어마무시한 슬러지가 끼어 있다.

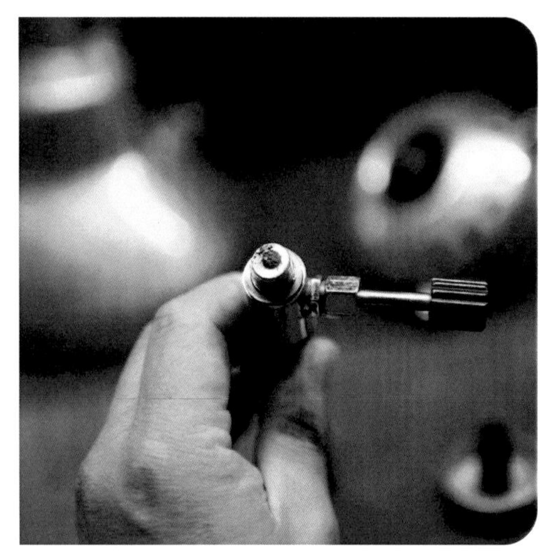

3

전혀 정비가 안 된상태의 모습이다.

4

1차 기본 슬러지를 빼내고, 바이퍼라이저 상태체크를 위해 먼저, 불을 확인 해본다.

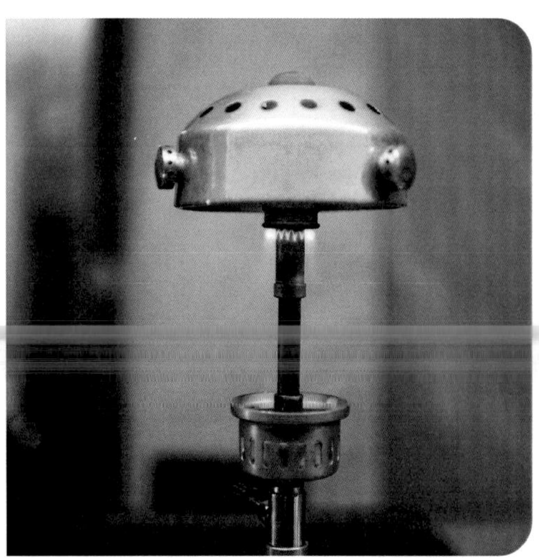

5

바이퍼라이저 상단확공은 없는걸로 결과를 내리고, 전체분해 작업에 들어간다.

6

기존 연료통에 들어있던 등유 상태가 노란 빛의 변질된 상태를 보여준다.

7

연료통 내부를 내시경을 통해 봐볼 차례다.

8

등유 찌든냄새와 슬러지 및 먼지가 한가득하다.

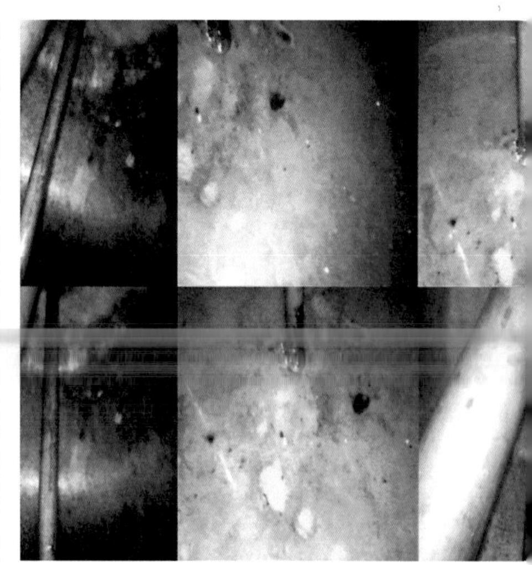

9

연료통에서 펌
핑 체크밸브를
빼내 본다.

10

체크밸브 분해
및 청소 후, 내
측 단속 고무바
킹 경화상태도
확인 해본다.

11

알콜 예열컵은
속 컵이 떨어져
나가 덜렁거리
는 상태여서,작
업 시작전 미리
속캡과 내측부
를 단단히 고정
시켜준다.

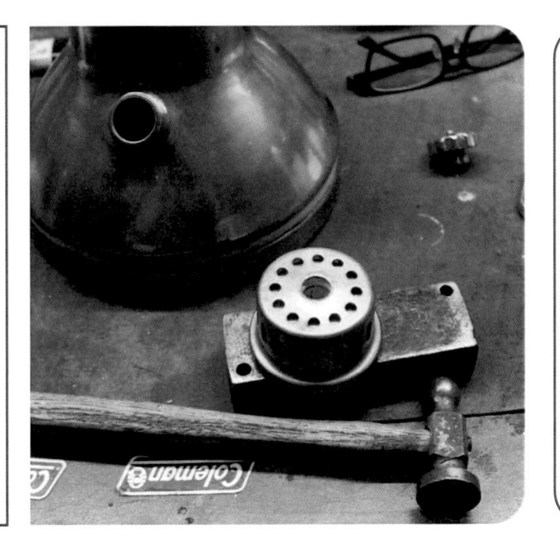

12

내/외측부 고정
상태를 다시 한
번 확인 해본다.

13

버너부를 분해
전, 상단 믹싱
돔은 쉽게 풀려
버리는 상태.

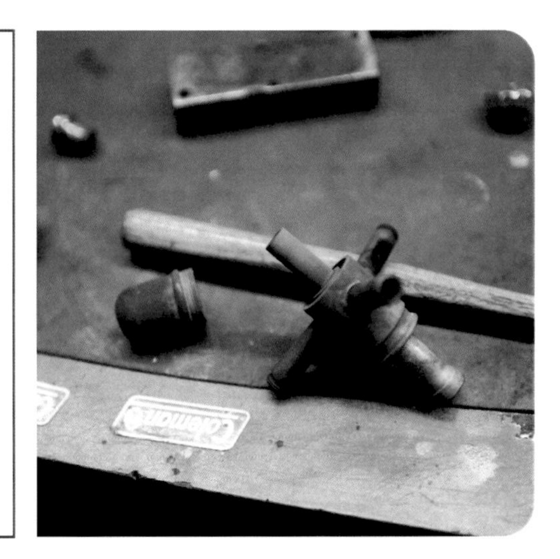

14

연료통 내측부
약품과 무한세
척 작업에 들어
간다.

15

약품으로 착색
이 되어 보이지
만 내측부 찌든
때와 기름 성분
은 깨끗히 털어
낸 모습이다.

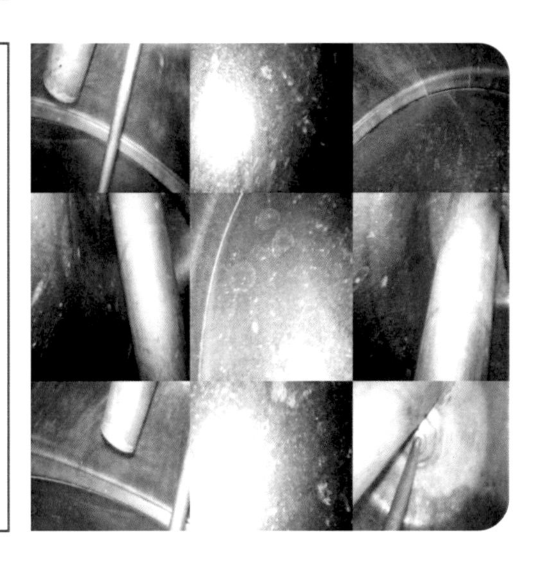

16

연료캡 & 에어
밸브 내측고무
바킹은 새부품
으로 교체한다.

17

교체된 내유성 고무바킹 부품 모습.

18

에어밸브 내측 교체된 고무바킹 모습이다.

19

바이퍼라이져 내측부에 쌓인 카본 슬러지를 빼내는 작업중이다.

20

청소로드침(니들대)세척작업이다.

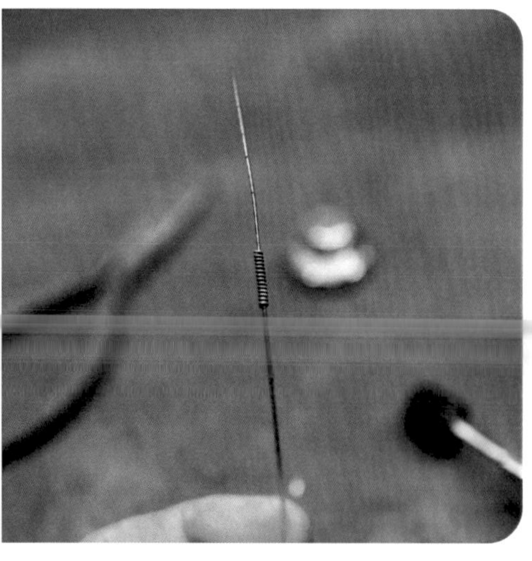

21

바이퍼라이져는 초음파세척을 한번 더 돌리는작업을 진행한다.

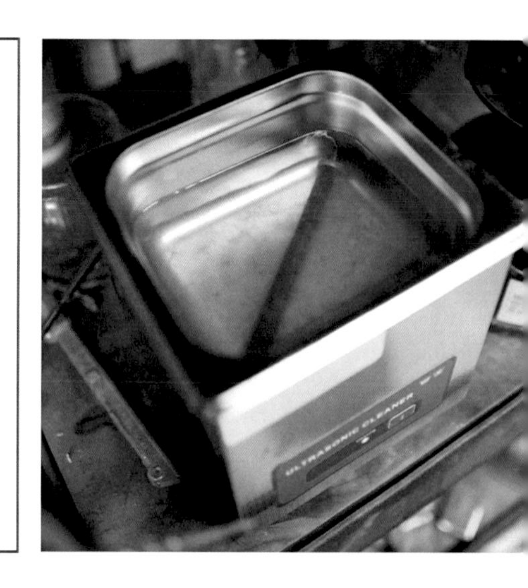

22

청소로드침 휨 상태를 교정한다.

23

컨트롤 콕 세척 후, 고무바킹 교체 및 바이퍼라이져을 체결 한다.

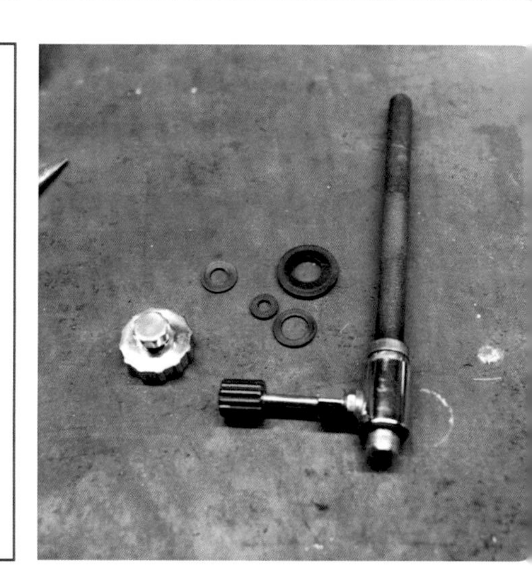

24

버너부 상단,믹싱 돔 라인을 동용접으로 기밀유지를 위해 땜작업을 한다.

25

견료통 하단띠를 분해 후, 나머지 페인트 잔여물 정리중이다.

26

견료통 바닥면의 잔여 페인트도 모두 털어낸다.

27

연료통 도장 전 모래샌딩을 위해 각각의 구멍에 마스킹 작업을 해둔다.

28

전체 모래샌딩 작업을 끝낸 연료통 외부 모습이다.

29

바닥면까지 빈틈없이 모래샌딩 작업을 진행한다.

30

연료통 하부 바닥면은 검정방청 페인트 작업으로 뿌린 후, 건조 작업.

31

연료통 외부는 알라딘난로 옥색상의 반무광 페인트 작업을 진행한다.

32

히터라인 건조 작업과 자연건조 3일 동안의 모든건조를 완료한 상태의 비알라딘(Biala ddin) T10 랜턴 연료통 모습이다.

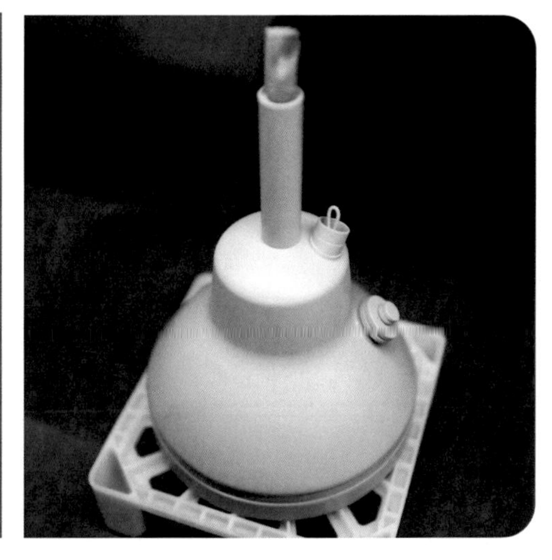

33

맨틀 써포트라 인은 내열접착 제를 발라 체 결해 준다.

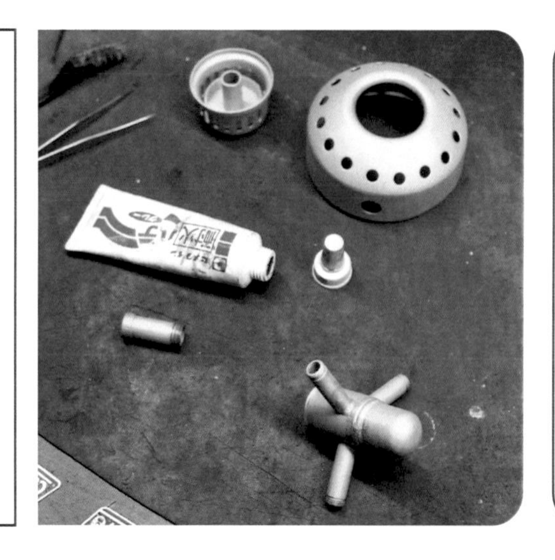

34

나머지 부품들 은 모두 비드샌 딩 작업으로 정 리를 한다.

35

상단 후드부는 반무광 동재질 의 후드 부품으 로 교체.

36

동용접을 해둔 버너부도 비드 샌딩으로 정리 한 모습이다.

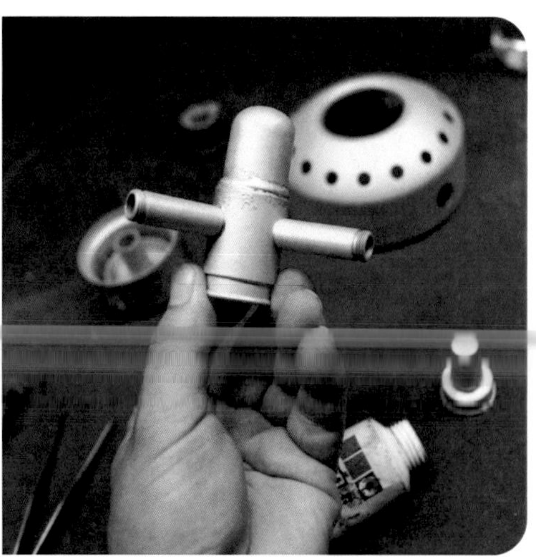

37

내열접착제를 발라 끼워넣는 맨틀 써포트 작업.

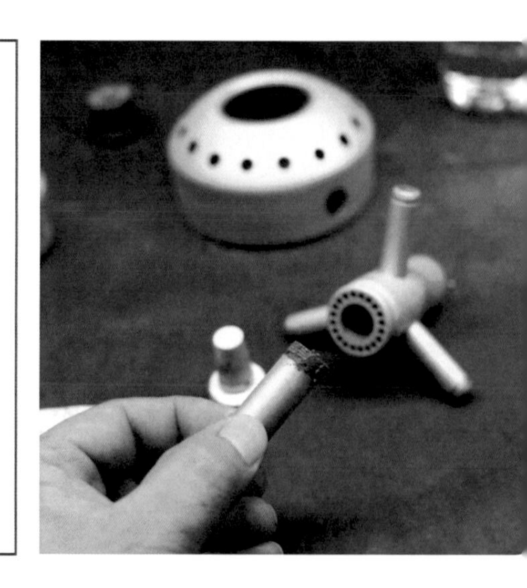

38

최종 버너부 부 품의 조립상태 를 한번 더 확 인 한다.

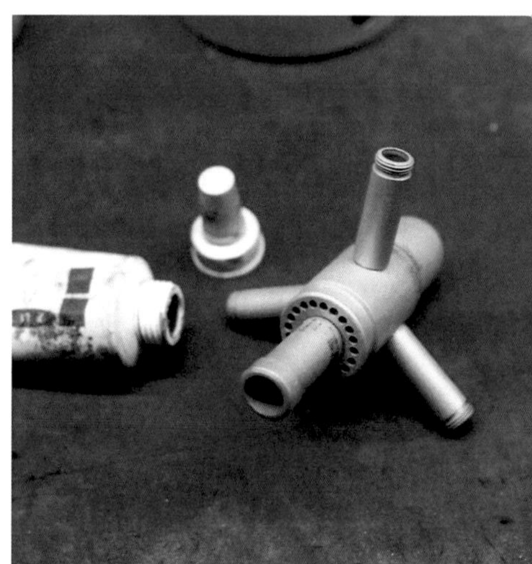

39

전체 조립 전, 동용접이된 버 너부 모습이다.

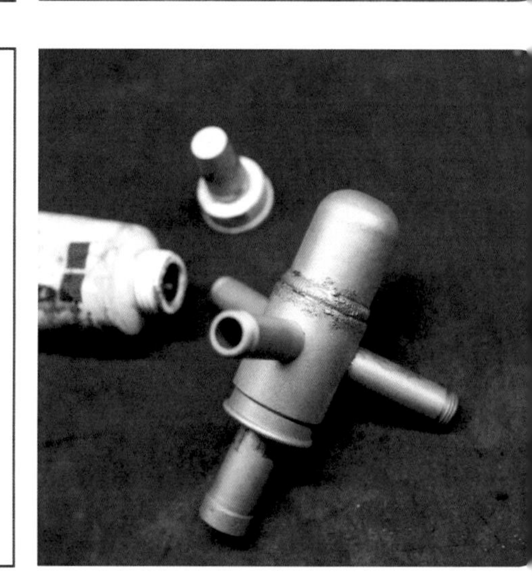

40

도장작업이 완 료된 연료통에 하단부 띠를 다 시 조립해서 고 정 시킨다.

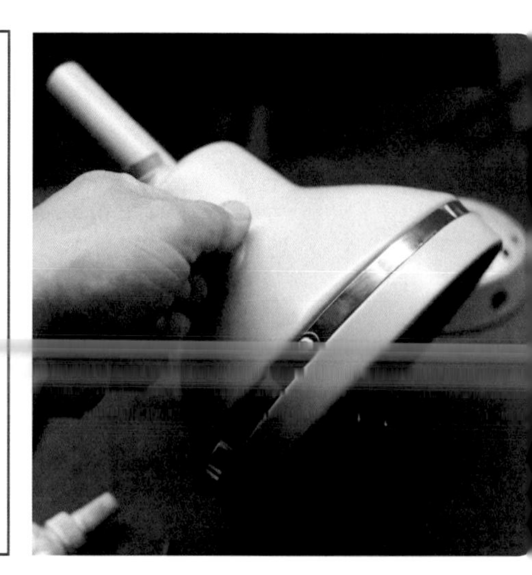

41

펌핑라인부 내측 세척 작업을 진행 한다.

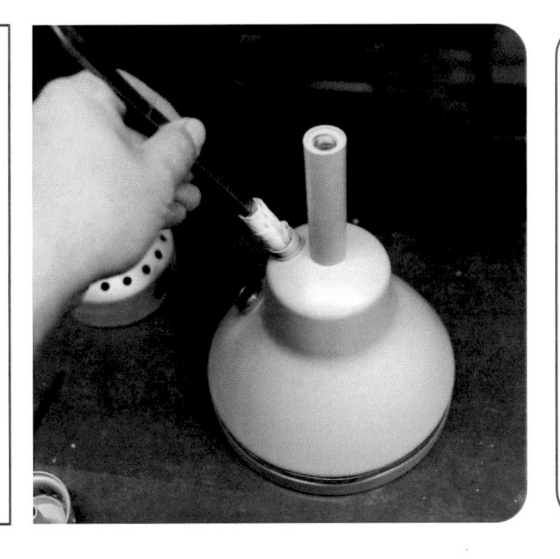

42

세척 작업 후, 내측부에 펌핑 체크밸브를 전용 툴을 이용해서 고정시켜 조여준다.

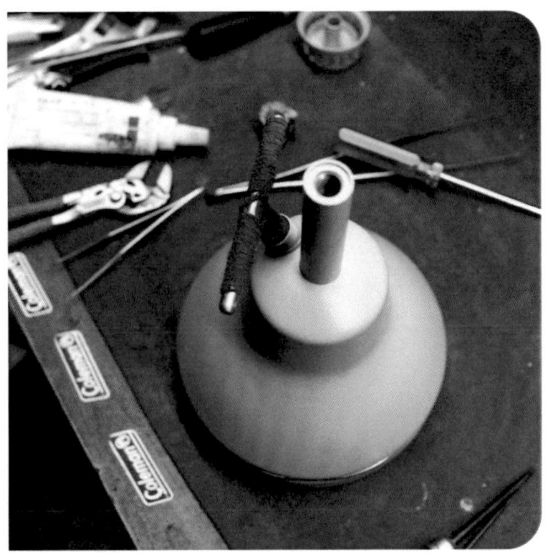

43

체크밸브 전용 스페셜 툴 손잡이 모습.

44

체크밸브 전용 툴의 하단부 열처리된 모습이다. 부러지거나 깨지지 않게 강성을 높여 놓은 재질이다.

45

펌핑 로드대의 가죽바킹 교체 작업 후, 미싱 오일에 담궈둔다.

46

가죽바킹 고정 너트의 방향을 보여주기 위해 반대로 체결한 모습을 먼저,보여 준다.

47

다시 분해 후, 체결 순서를 보여주는 상황이다.(사진상에는 C형 와샤 하나가 빠져 있다.)

48

이렇게 너트의 틈이 보이는 방향을 뒤로 돌려 끼운 후, 체결을 해야 한다.

49

펌핑로드대를 펌핑실린더 안에 오일을 듬뿍 넣고, 끼워넣는다.

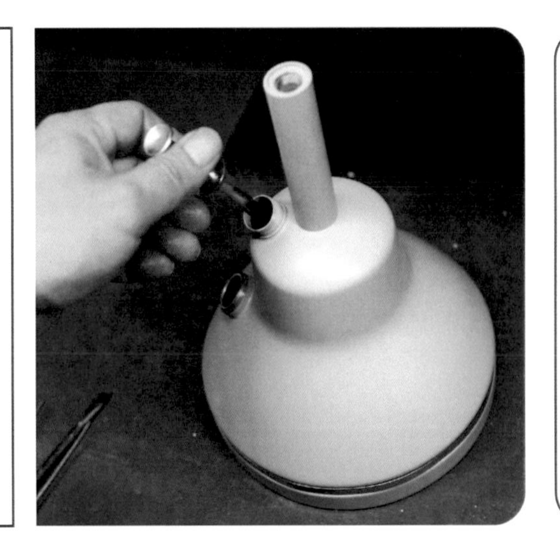

50

펌핑마개가 펌핑시 풀리지 않게 적당한 토크로 끼워넣고 체결해 준다.

51

바이퍼라이져의 청소침 (니들)이 잘 올라오는지 확인을 해둔다.

52

알콜컵에 알콜을 조금더 머금을수 있도록 유리섬유 솜을 끼워 넣어준다.

53

잘빠지지 않게 단단히 고정시켜 놓는다.

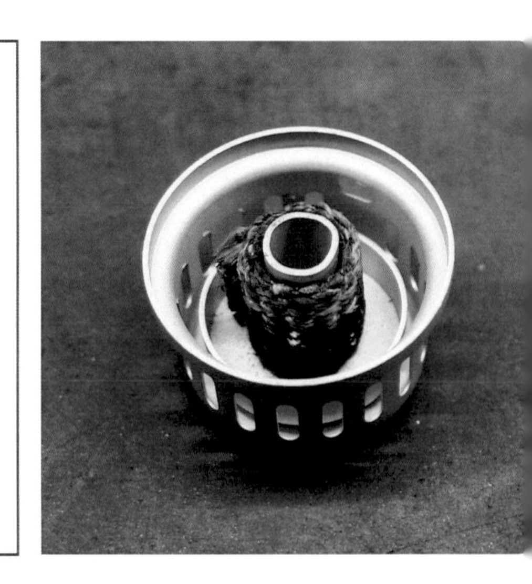

54

추가작업으로 글로브 샌딩을 진행한다.

55

글로브안에 랜턴문양과 리빙쉘 텐트, 화로댓 이미지까지 넣어본다.

56

샌딩작업을 완성하고 세척 후 유리에 샌딩 된 이미지를 볼 수 있다.

57

글로브 샌딩 이미지를 조금 더 감상해 보자.

58

상단 후드부를 덮어 끼웠을 때 샌딩 이미지가 가려지지 않게 라인 조정을 해서 작업을 진행했다.

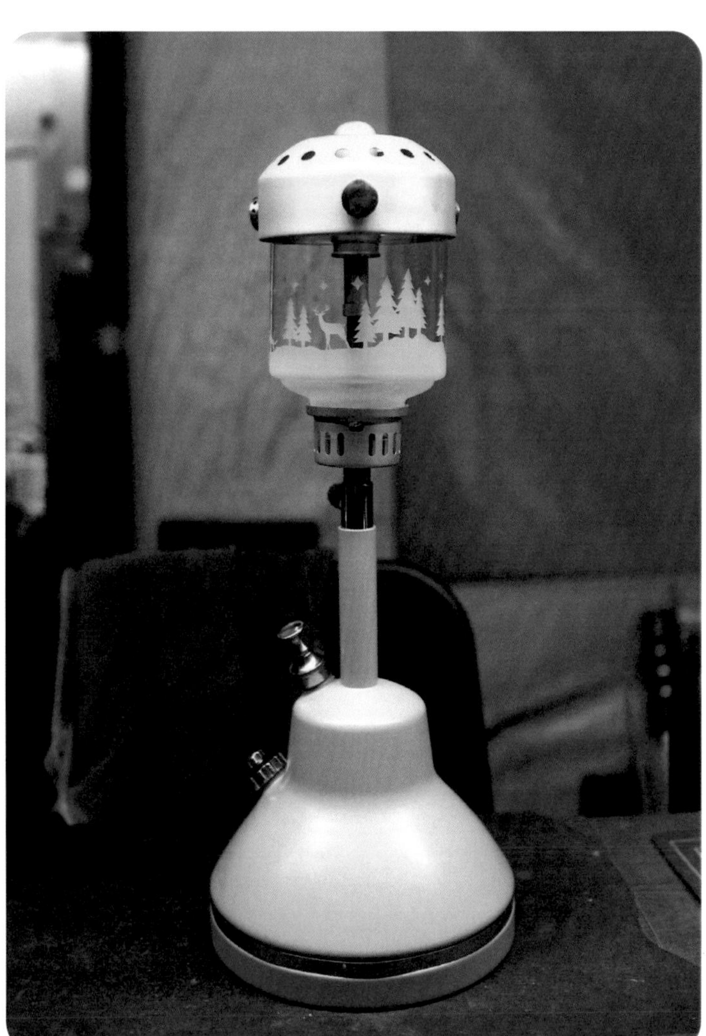

Aladdin

Aladdin

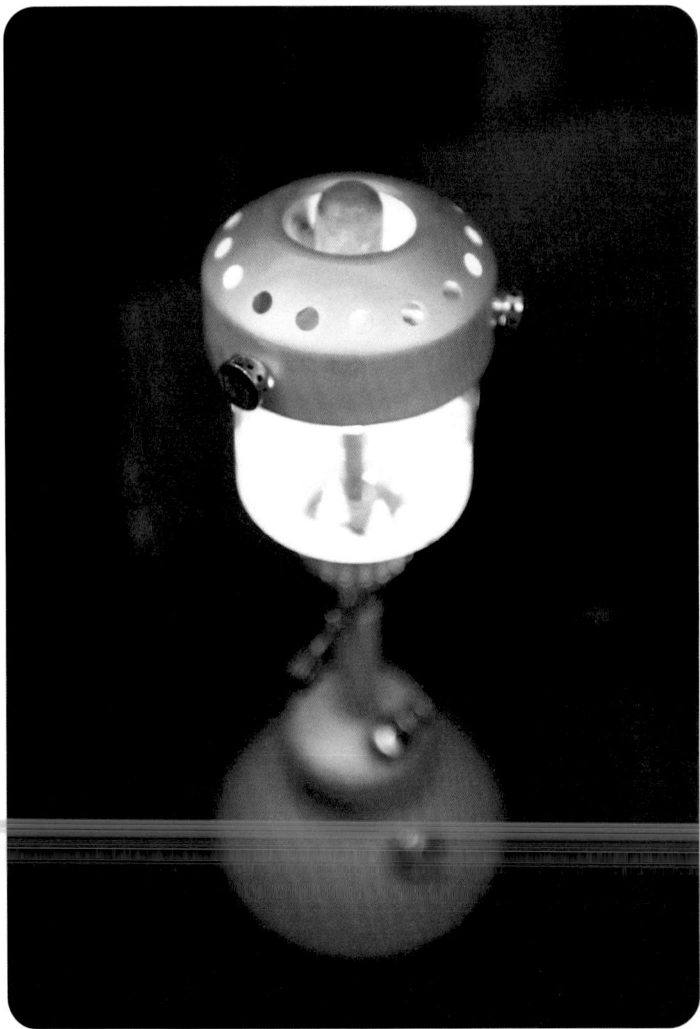

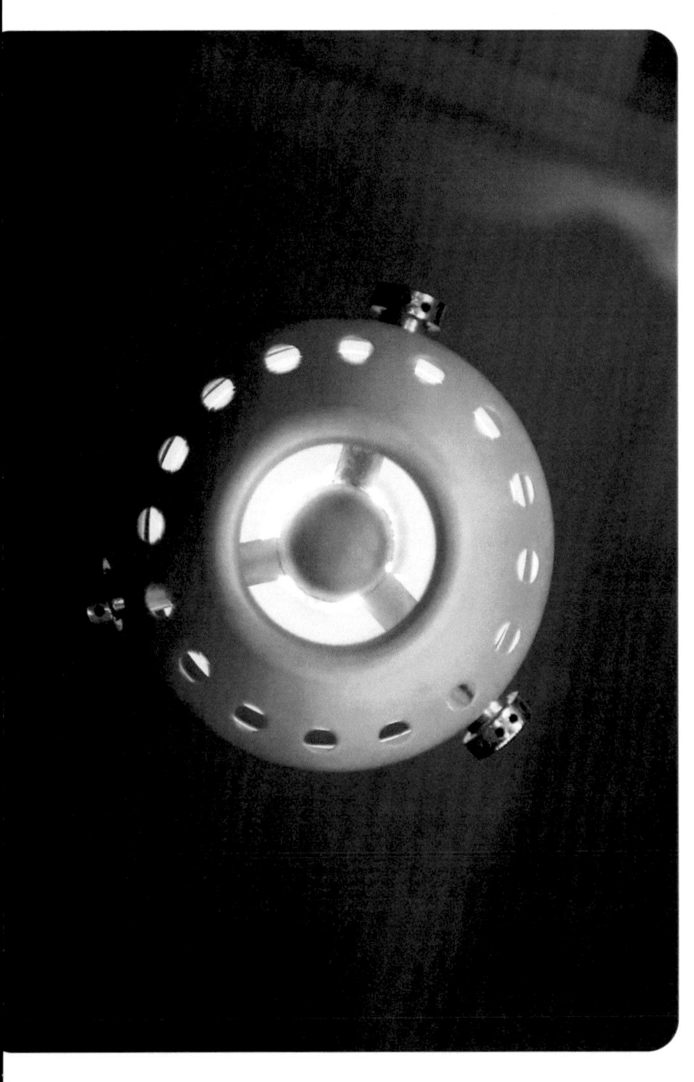

Aladdin

비알라딘 T10 정비 & 복원작업

1

상단 법랑후드
부의 흰색상에
맞춰 하단 연료
통 색상교체 커
스텀 작업이다.

2

기존 페인트 상
태도 엉망이어
서 모두 벗겨낼
예정이다.

3

기존페인트를
벗겨내고, 부
품들 모두 분
해 및 오버홀
작업 예정이다.

4

기존 크롬도금
부품들도 모래
샌딩으로 벗겨
낼 예정이다.

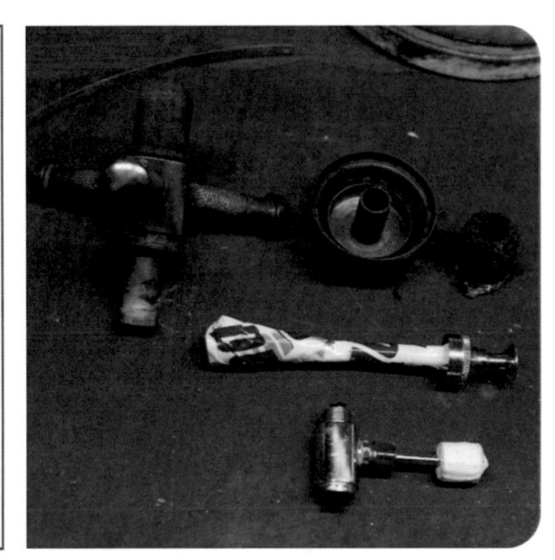

5

전체적인 컨디
션 상태는 별
로인 비알라딘
(Bialaddin)
T10 랜턴이다.

6

연료통부터 깨
끗하게 모래샌
딩작업을 끝낸
후, 도장 작업
에 들어갈 사
례다.

7

각 부품들을 모두 비드샌딩으로 찌든때를 벗겨낸 모습이다.

10

연료통은 흰색상으로 새옷을 입히고, 건조까지 끝낸 상태다.

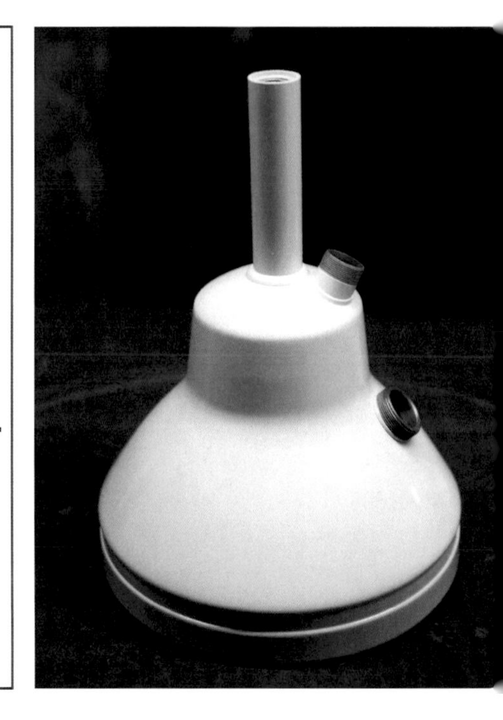

8

버너부 라인을 봐본다.

11

전체 조립을 해본다.

9

크롬도금된 부품들까지 모두 황동재질 상태로 벗겨낸 모습이다.

12

글로브 샌딩은 아직전이고,크롬 부분이 전혀 없는 전체 흰색상에 황동재질의 T10 랜턴을 봐본다.

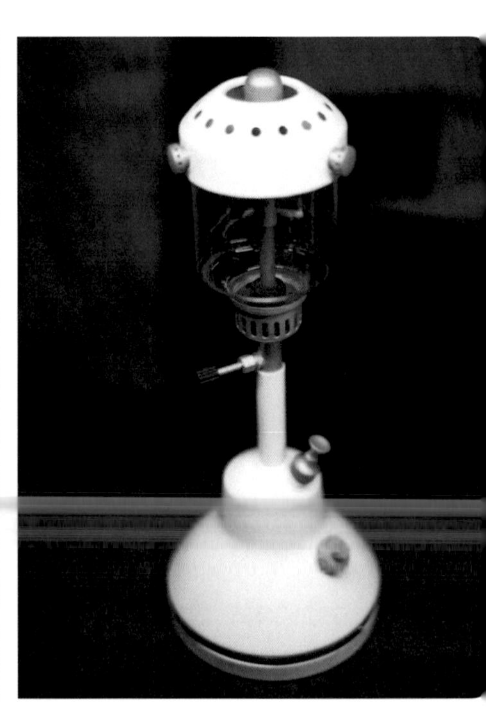

13

전장조립 후,불
테스트에 들어
가본다.

14

적당히 알콜예
열을 하고, 에
어밸브을 닫은
상태에서 펌핑
을 서서히 해서
압력을 올려준
다.

15

제대로 불밝기
가 나오는 순간
이다. 이후, 글
로브에 샌딩이
미지를 넣고,다
시한번 불을 붙
여 본다.

16

불빛에 비춰인
샌딩 이미지를
감상해 본다.

17

기존 크롬도금
된 부분은 모두
황동버전의 느
낌으로 정리했
다.

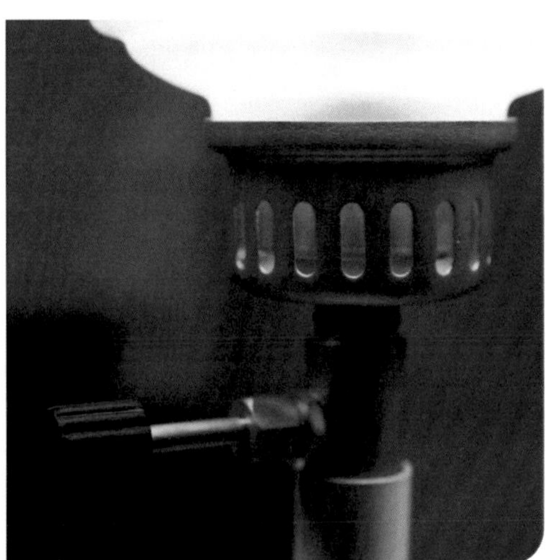

18

펌핑 손잡이의
크롬도 벗겨낸
모습이다.

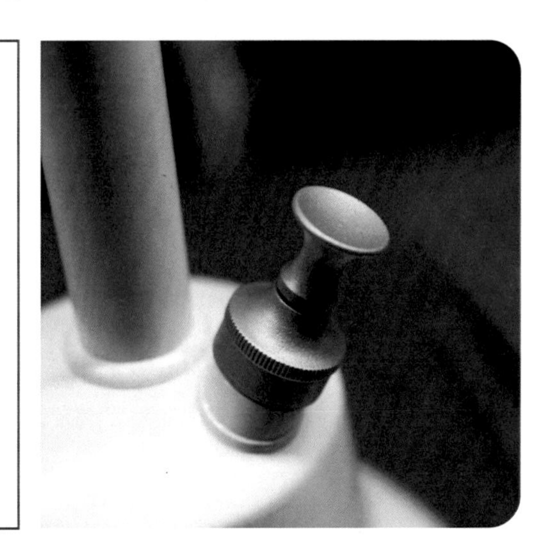

19

연료주입구 캡
이자 압력 및
에어밸브 캡의
크롬도 벗겨낸
상태의 모습이
다.

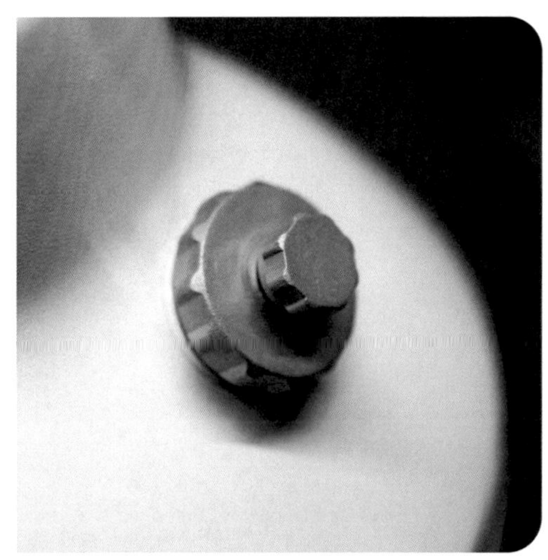

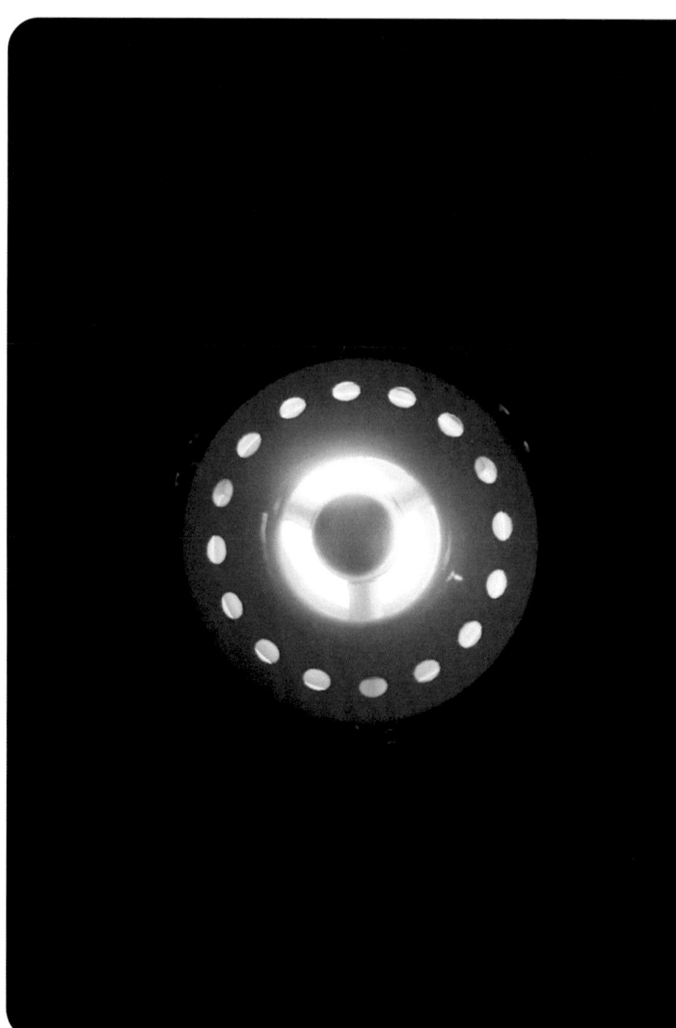

Aladdin

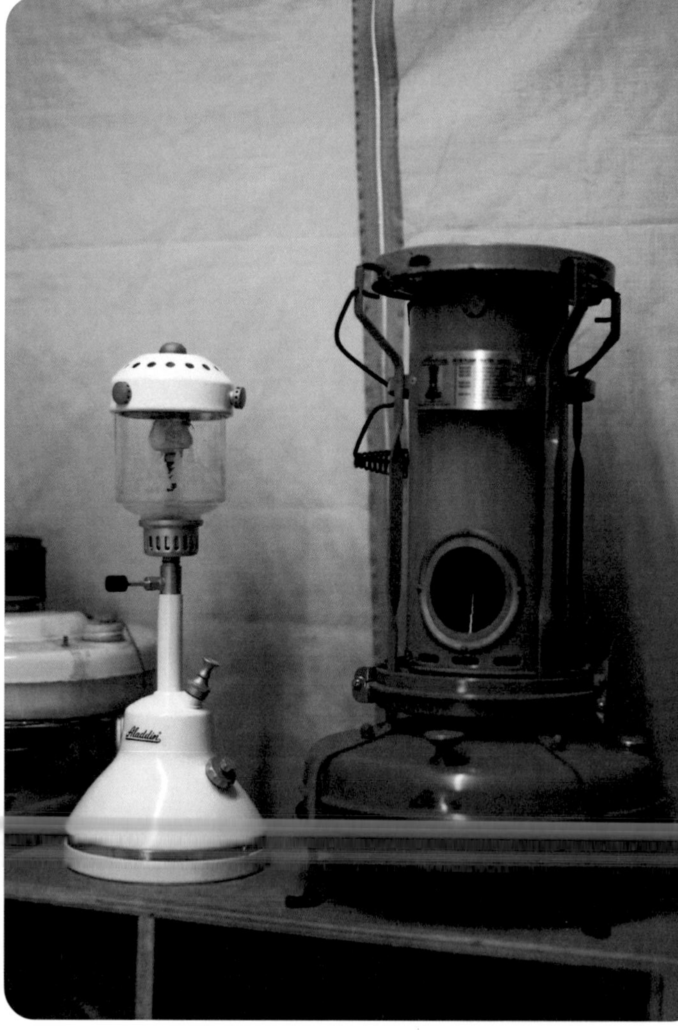
Aladdin

비알라딘 T10 커스터마이징 이미지 뷰
Aladdin

Aladdin

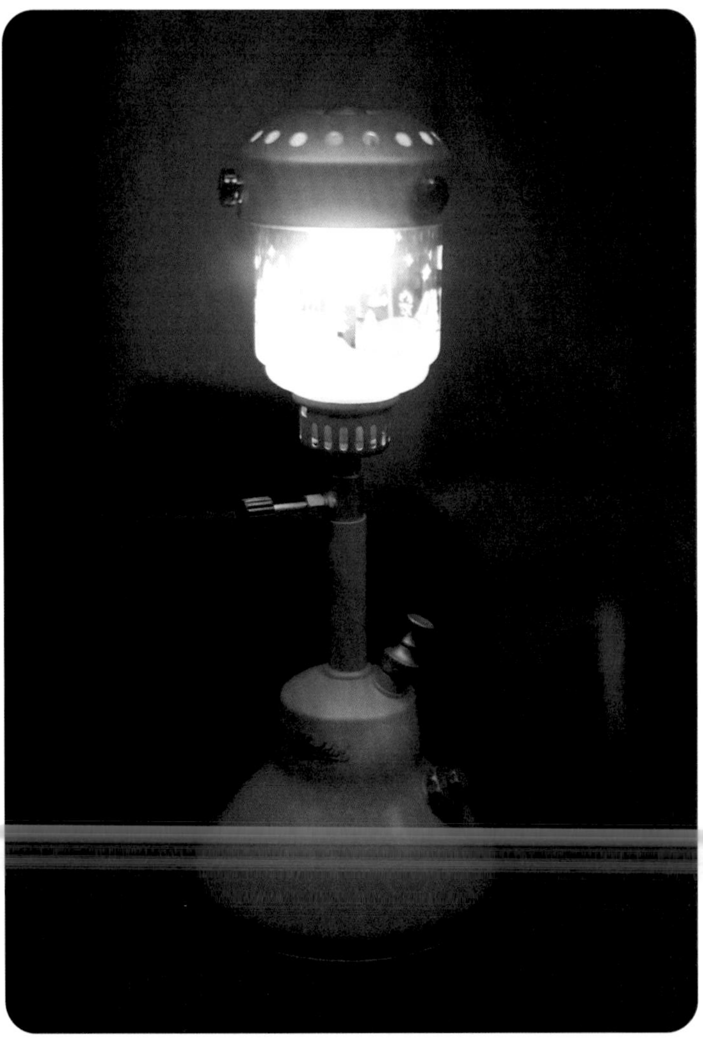

Aladdin

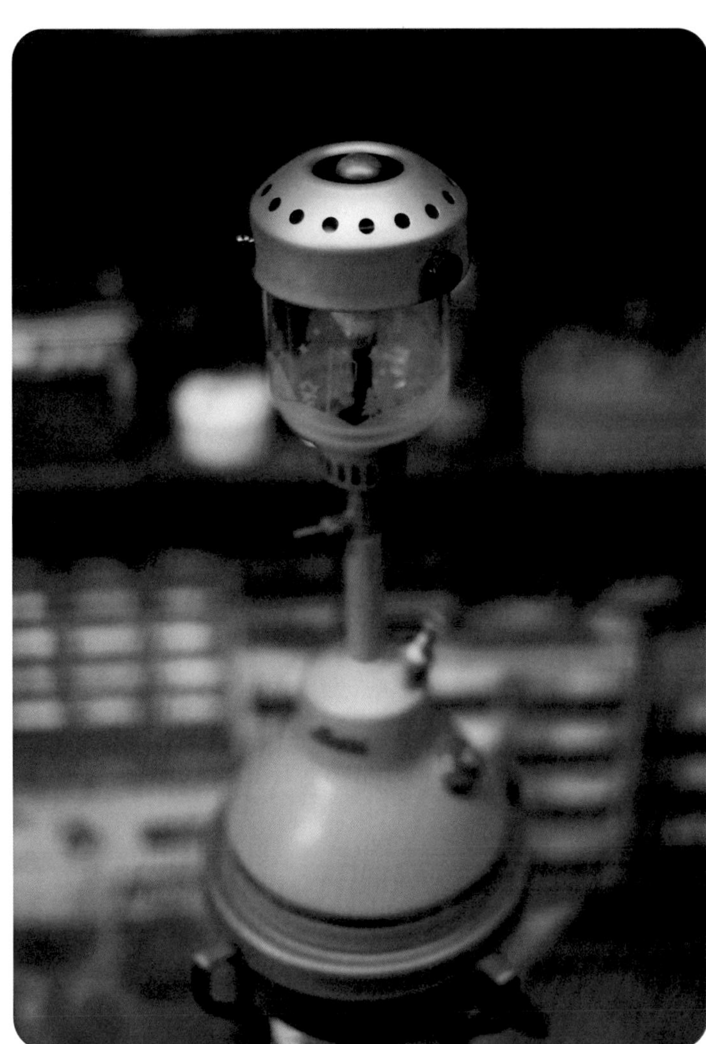

역사편 & 페트로막스 랜턴 단면도

< 페트로막스 (Petromax) 역사 >

* 1866년 : 배관공인 Albert Graetz는 유통업자인 Emil Ehrich와 함께 베를린 드레스데너 거리에 "Lampen-Fabrik Erich and Graetz OHG"라는 회사를 세운다.(1월2일)
  - Ehrich와 Graetz는 공기주입식 등유램프를 'Akaria', 'Matador', 'Iris'등의 이름으로 제조 및 성공적으로 판매한다.
  - Albert Graetz는 회사의 경영을 그의 아들인 Adolf 와 Max에게 넘긴다.
  - Emil Ehrich는 Albert Graetz 보다 몇 년 전 회사를 그만둔다.
* 1899년 : 아돌프와 막스는 회사를 베를린의 Elsen 거리로 이전한다.
* 1910년 : 페트로막스라는 상표가 등록.(11월5일)
* 1921년 : Max Graetz 는 일자형의 기화기를 사용하는 랜턴설계를 특허로 등록.(4월9일)
* 1922년 : 'Ehrich und Graetz AG'(Ehrich und Graetz 상사) 사가 세워진다.(5월20일)
  - 초기 주주 Max Graetz와 아들 Erich, Fritz, Hans, Rudolf Graetz와 그의 사위 Hans Pahl (가족회사)로 구성된다.
* 1927년 : 협력사들의 공동 특허 DE 461698 및 DE 513988, 등록 / 이때, 아이다(AIDA)랜턴이 탄생한다.
* 1930년 : 1930년대에 페트로막스의 전성기가 시작된다.
* 1935년 : Graetz AG 사는 랜턴측면에 'blowtorch' 라는 등유예열기를 장착.
* 1936년 : 이 설계는 'Petromax Rapid' 라는 이름으로 상표등록.(2월13일)
  - 오늘날까지 차별화된 디자인으로 인정.
* 1942년 : Ehrich und Graetz AG 사는 사명을 'Graetz AG' 사로 변경한다.
* 1942년 : 이 무렵, 아이다(AIDA) 사가 Graetz 사로 인수 합병 된다.
  - 랜턴의 시장점유율을 80%로 유지하는 등 세계시장을 효율적으로 유지.
* 1945년 : 제2차 세계대전이 끝난는 이후, 독일 페트로막스에 위기가 찾아온다.
  - 베를린 트랩토브 및 브레멘즈 공장등 모든재산을 소련에 빼앗긴다.
* 1945년 : 제2차 세계대전의 공식종전 후에도 원 Graetz AG 사는 소련에 몰수된 후에도 동독에서 계속 운영 되어왔다.

- 페트로막스 랜턴의 생산은 구 베를린 공장에서 계속 되었다.
(공산주의자들의 관리하에 40명의 근로자들만으로 운영되는 등 매우 줄어든 노동인력에 의해서 생산.)

* 1947년 : 독일(서독) 웨스트팔렌주의 알테나 (Westphalian Altena)에 자리한 빈 막사에서 새롭게 렌턴을 생산하기 시작한다.
  - 가족회사가 아닌, 주식회사로 바뀐다.
  - 아이다(AIDA)랜턴 과 페트로막스 랜턴을 함께 생산 한다.
* 1948년 2월 8일 / 1950년 4월 : 구 베를린 공장은 두번의 공장이름이 변경되었고, 이후, 동베를린에서의 페트로막스의 모든 생산은 중지된다.
* 1950년대 ~ 1960년대 : 반면, 서독에서 세워진 Graetz KG회사는 놀라울 정도로 성장하고 있었다.
  - 1949년 첫 번째 페트로막스 랜턴의 생산이래로 생산증가율은 1950년대에 수백에서 수천퍼센트 증가 하였다. 99퍼센트의 제품은 해외로 수출 되었고, 나머지 제품은 독일 철도, 독일 체신청, 국내 건설회사에 판매 되었다.
  - 이즈음에 Graetz 회사는 전자제품과 관련된 회사로 변화하게 되었고, 이에 따라 페트로막스 랜턴과 관련된 제품의 생산은 매우 작은 부분을 차지하게 된다.
* 1950년대 : 페트로막스 브랜드는 서독 함부르트의 Graetz 사가 소유하고 있었는데, 이 회사는 동베를린에 세워진 Graetz 사를 잇는 회사이나 제품을 생산하지는 않았다.
* 1959년 : 서독 함부르트의 Graetz KG가 동베를린의 상표권을 인수하게 되었으며, 이 때에 아이다(AIDA) 사의 회사명이 역사속으로 사라지게 된다.
* 1961년 : 회사를 넘겨 줄 가족이 없던 Erich Graetz는 Graetz KG 주식의 74.5%를 Standard-Elektronik-Lorenz AG (SEL) 회사에 매각. 남은 25.5%의 주식은 Westfaelische Kupfer-und Messing-Werke(투자회사) 사가 소유.
* 1970년대 부터 : 렌턴수요가 본격적으로 줄자, 생산비 절감차원에서 당시 저임금 국가 포르투갈로 생산시설을 이전한다.
  - 당시 독일 알테나를 제외하고 공장설비와 기술력 그리고 일부인력들을 독일 이외지역으로 옮긴다.
* 1988년 : 페트로막스 주인인 SEL 사는 핀란드 노키아에 인수합병 된다.(3월)

* 1990년 : 포르투갈로 이전한 랜턴 제조공장의 생산이 중단된다.

* 1993년 : 서독의 알테나 (Altena) 공장은 완전히 문을 닫는다.(3월 18일)

  - 이 시기를 끝으로 페트로맥스의 "황금시대"는 완전히 저문다.

* 1993년 이후 : 독일 및 영국 딜러들에 의해서 같은 형태의 제품들이 생겨난다.

  - 시앙카, 엥커, 버터플라이, 등등이 중국에서 생산.
  - 특허권이 풀렸기 때문에 독일과 영국 딜러들에 의해 저급 페트로막스가 중국에서 생산 되어졌다.
  - 페트로막스의 상표권은 미국에서는 등록되지 않았는데, 인지도가 높지 않아서 흐지부지 되었고, 독일 및 중부 유럽은 Scott AG Glaswerke 라는 유리회사로 넘어갔지만, 중국에서 만들어지고 있는 저급 페트로막스 생산을 막지는 못했다.

* 2005년 : Scott AG Glaswerke 사는 결국, Adcuram Group AG 사에 상표권을 매각한다.

* 2007년 : 독일 페럼사로 상표권이 넘어간 후, 중국랜턴 시장이 도래하게 된다.

  - 독일에 있던 생산시설이 중국으로 옮겨간게 아니라, 상표권만 얻어서 중국에서 새롭게 만들어 낼뿐 기술력 / 설비 / 노하우 등은 가져오지 않았다.
  - 페럼사는 정품은 정품이지만 상표권만 사들였을 뿐 DNA는 중국산 인거다.
    이 시기 생산된 페트로막스는 이름만 페트로막스일뿐 품질은 시앙카나 엥커, 버터플라이 보다 조금 좋은평은 듣지만 결국 동일한 공장에서 나오는 저급품으로 판단되어졌다.
  - 페럼사는 중국 실버레이(Kaiping Silveray Metal and Plastic Products Company Ltd)에서 부품을 생산한다.

** 번외 : 미국에서는 1990년대 말에 소유주인 Schott AG 사에 의해 상표권이 연장되지 않았다가 다시, 등록 했으나 또다른 미국 회사인 Britelyt 사는 2006년 말에 소송을 제기하고 법적 권리를 부여 받았다고 한다.
결과적으로 '페트로막스' 와 '페트로막스 브리틀릿'이란 두개의 상표권으로 나눠진 회사가 생겨 나게 된거다.

** (내용에 오류가 있을 수 있음을 밝힙니다.)

PETROMAX 500CP 랜턴

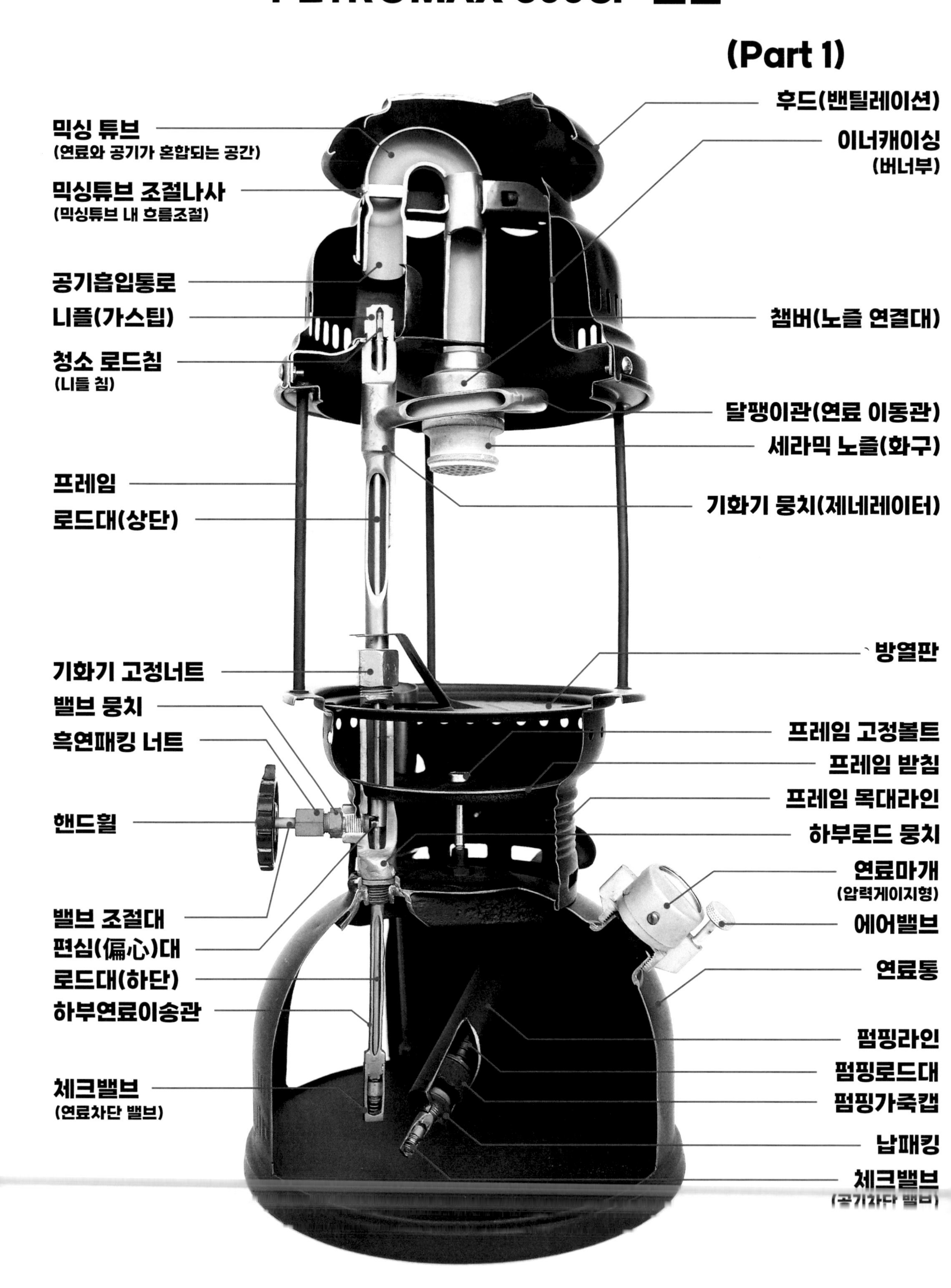
(Part 1)
믹싱 튜브
(연료와 공기가 혼합되는 공간)
믹싱튜브 조절나사
(믹싱튜브 내 흐름조절)
공기흡입통로
니플(가스팁)
청소 로드침
(니들 침)
프레임
로드대(상단)
기화기 고정너트
밸브 뭉치
흑연패킹 너트
핸드휠
밸브 조절대
편심(偏心)대
로드대(하단)
하부연료이송관
체크밸브
(연료차단 밸브)
후드(밴틸레이션)
이너캐이싱
(버너부)
챔버(노즐 연결대)
달팽이관(연료 이동관)
세라믹 노즐(화구)
기화기 뭉치(제네레이터)
방열판
프레임 고정볼트
프레임 받침
프레임 목대라인
하부로드 뭉치
연료마개
(압력게이지형)
에어밸브
연료통
펌핑라인
펌핑로드대
펌핑가죽캡
납패킹
체크밸브
(공기차단 밸브)

PETROMAX 500CP 랜턴

(Part 2)

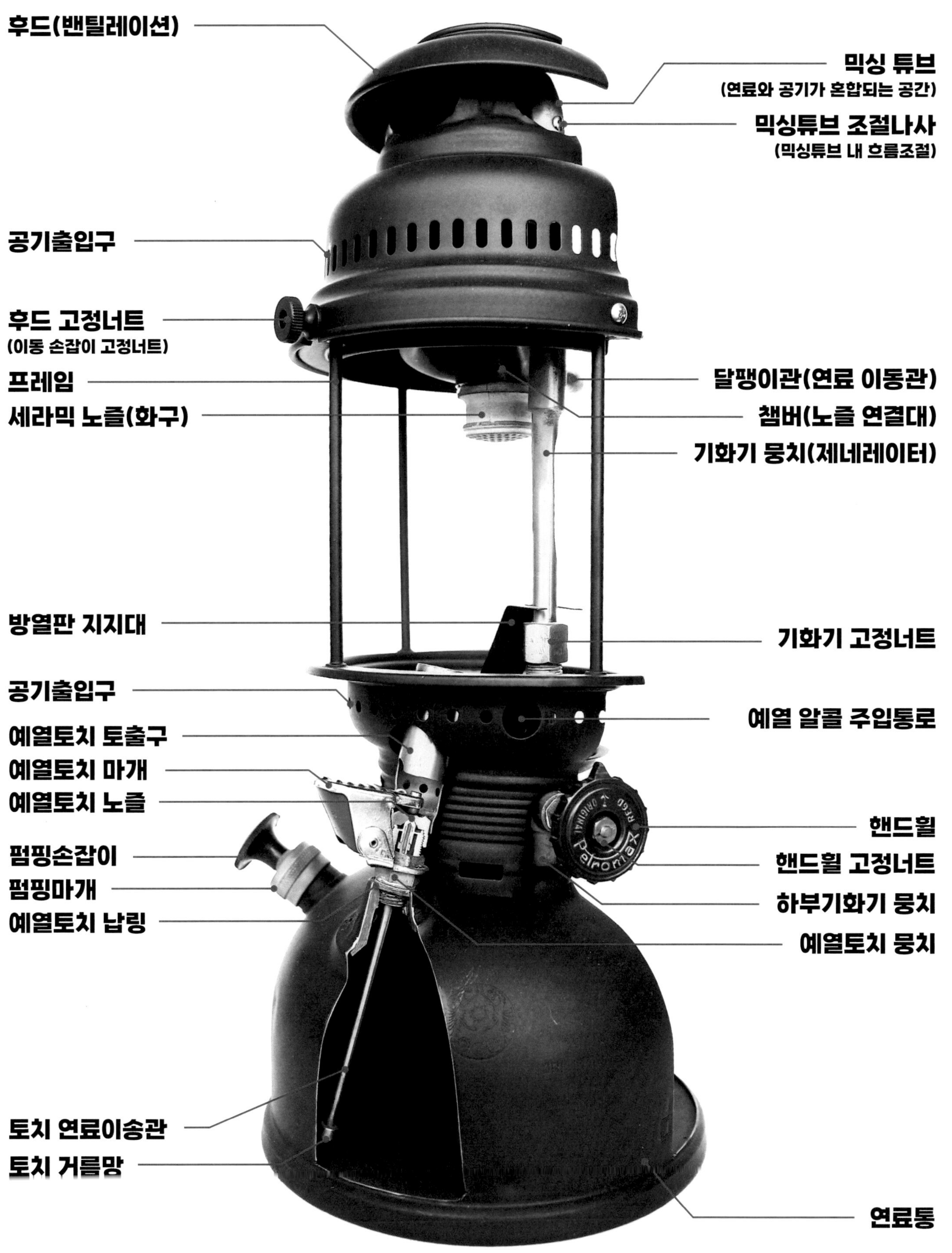

후드(밴틸레이션)
믹싱 튜브
(연료와 공기가 혼합되는 공간)
믹싱튜브 조절나사
(믹싱튜브 내 흐름조절)
공기출입구
후드 고정너트
(이동 손잡이 고정너트)
프레임
세라믹 노즐(화구)
달팽이관(연료 이동관)
챔버(노즐 연결대)
기화기 뭉치(제네레이터)
방열판 지지대
기화기 고정너트
공기출입구
예열 알콜 주입통로
예열토치 토출구
예열토치 마개
예열토치 노즐
핸드휠
펌핑손잡이
핸드휠 고정너트
펌핑마개
하부기화기 뭉치
예열토치 납링
예열토치 뭉치
토치 연료이송관
토치 거름망
연료통

PETROMAX 500CP 랜턴

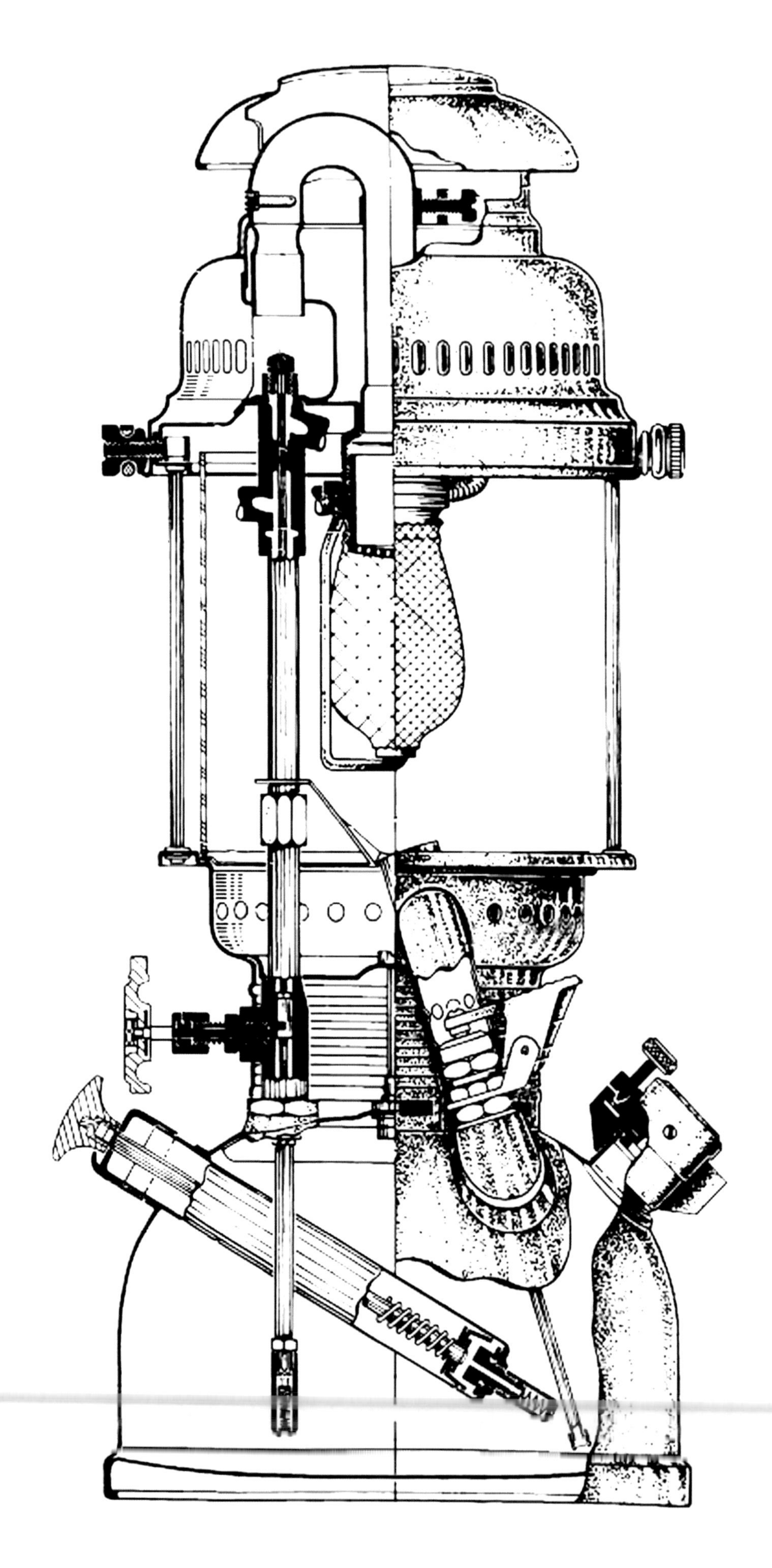

PETROMAX 랜턴 이너케이싱

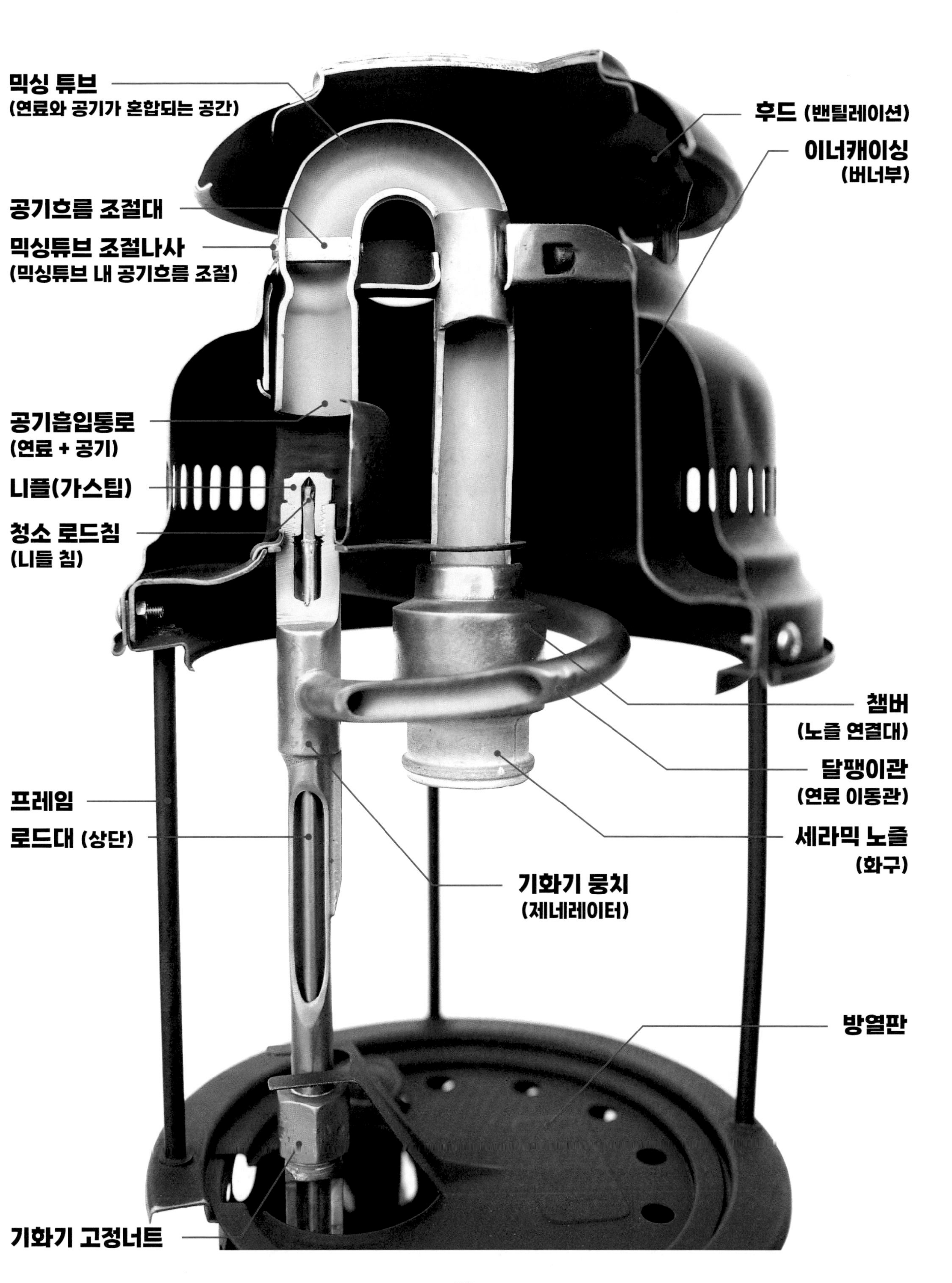

PETROMAX 랜턴 이너케이싱

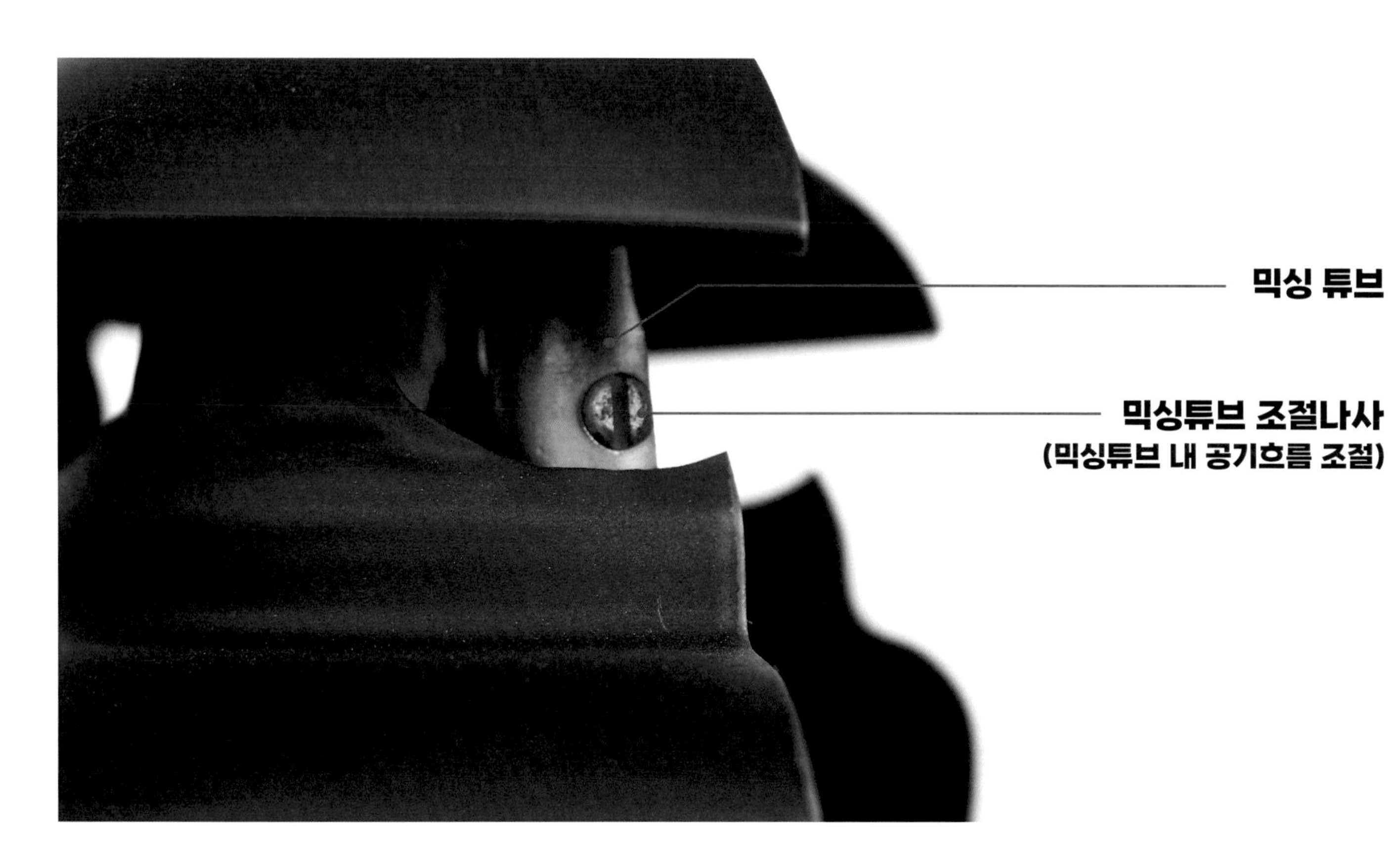

믹싱튜브 조절나사를 일자 드라이버로 90도(수직) ~ 180도(수평)방향으로 조절이 가능하다. 페트로막스 사용중 조절 나사를 돌리면, 불꽃의 변화가 공기흐름의 속도와 양에 따라 일어난다. 보통은 조절나사가 수직인 90도 방향으로 맞춰둔다. 현재는 페럼사에서 믹싱튜브 조절나사의 기능을 아예,삭제하여 만들어지는데, 그 이유는 나사 틈사이로 유증기가 발생하는 문제가 있다. 사실, 현재 만들어지는 부품제조 퀄리티가 너무 조악하기 때문에 발생하는 문제다.

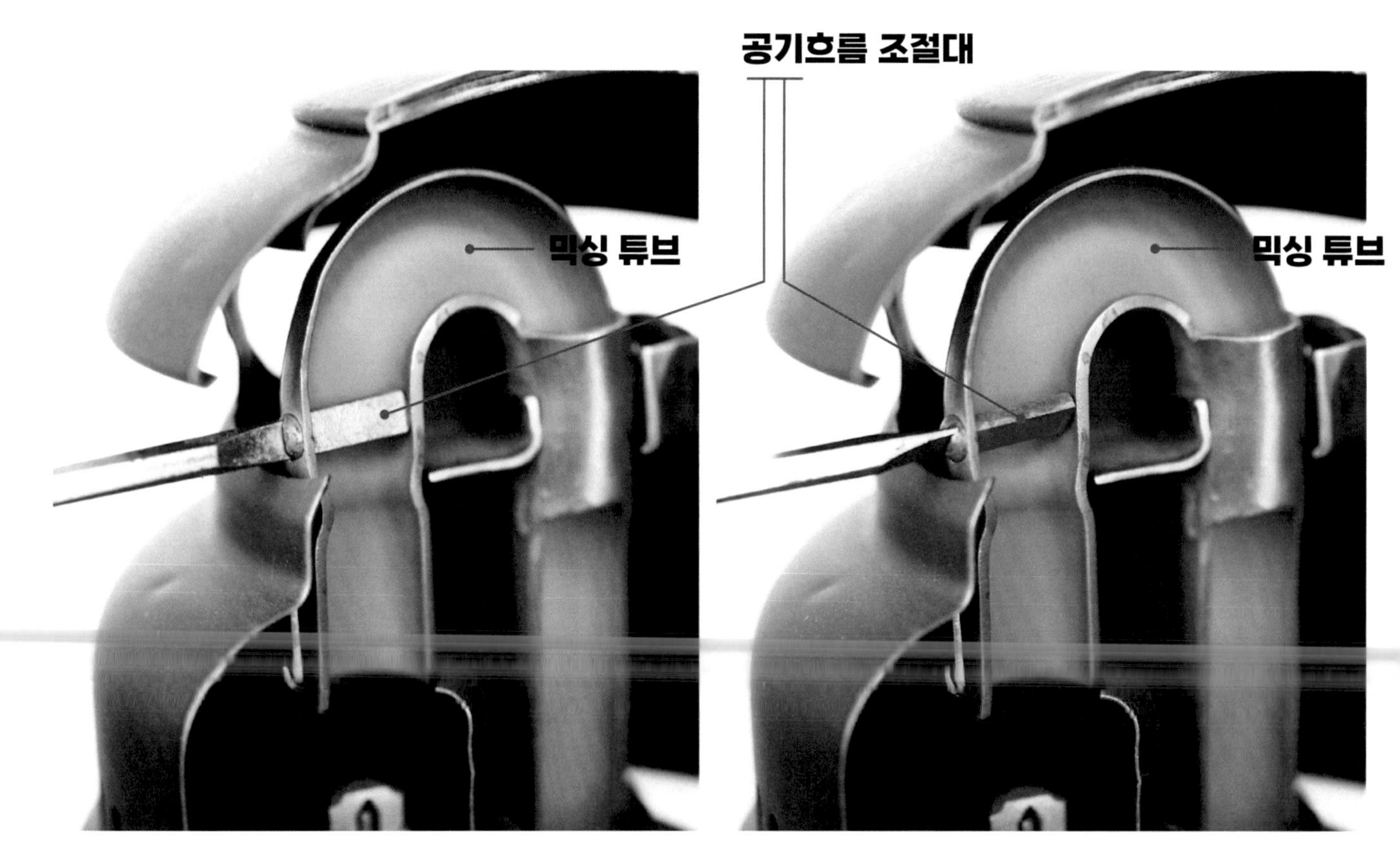

PETROMAX 랜턴 이너케이싱

페트로막스 랜턴은 불밝기에 따라 랜턴종류가 나눠진다. 예) 500cp, 300cp, 250cp, 150cp등. 아울러, 공기량과 뿜어져 나오는 연료량이 섞이는 믹싱튜브 공간에 배합 조건을 맞추기 위한 중요한 작업이 있다.

바로, 간극조정 작업이다. 믹스튜브 입구와 가스팁(니플) 사이간격을 조정해줘야 제대로된 불꽃을 볼 수 있다.

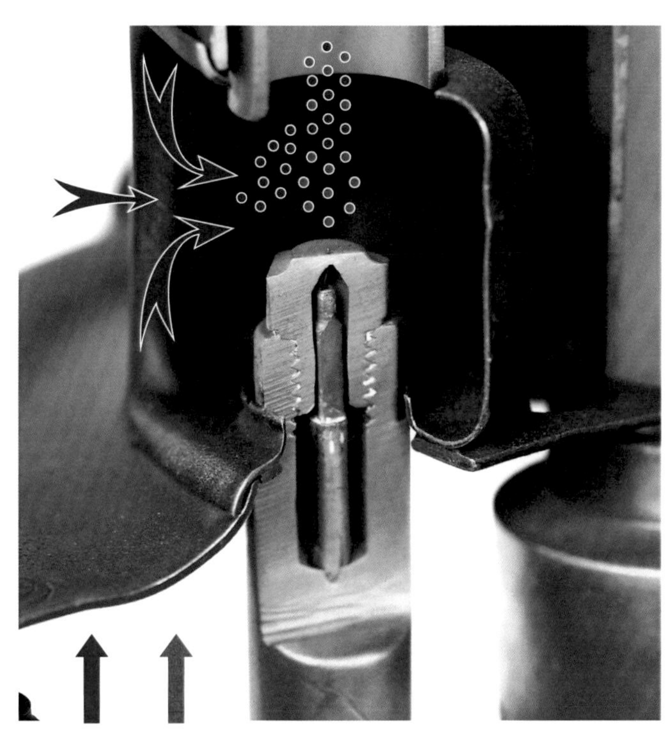

페트로막스 500/350cp 랜턴 : 14.2 mm
페트로막스 250/300cp 랜턴 : 12.2 mm
페트로막스 150 /200cp 랜턴 : 5~8 mm

간극조정은 페트로막스용 전용렌치의 손잡이 끝단에 각 렌턴별 사이즈에 맞게 계단식으로 각이 잡혀있는 부위를 끼워 조정하면 된다.

PETROMAX 랜턴 이너케이싱

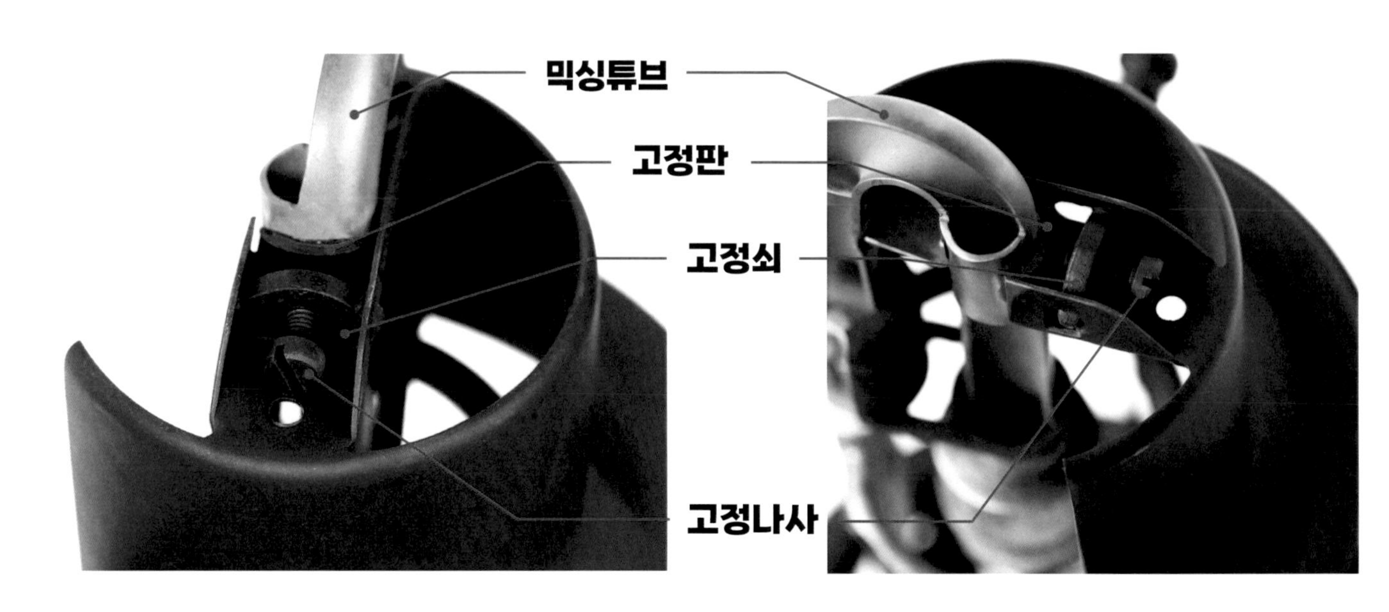

믹싱튜브 고정판

믹싱튜브 고정쇠

믹싱튜브 고정나사

앞서, 가스팁(니플)가 믹싱튜브 사이간격의 간극조정 작업이 되었다면, 믹싱튜브를 고정시켜줘야 한다. 랜턴이 밝게 작동 중에는 400 도 이상인 고온의 열기가 뿜어져 상단부로 올라간다. 그 열기로 인해, 간극조정이 된 믹싱튜브가 움직일 수 있으니, 단단히 고정시켜주는 부품이 믹싱튜브 고정나사다.

매번 랜턴을 사용 후, 믹싱튜브 고정나사가 헐거운지 확인을 해야 하며, 흔들리거나 헐거우면 반드시, 조여줘야 제대로된 랜턴의 불을 볼 수 있다.

PETROMAX 랜턴 이너케이싱

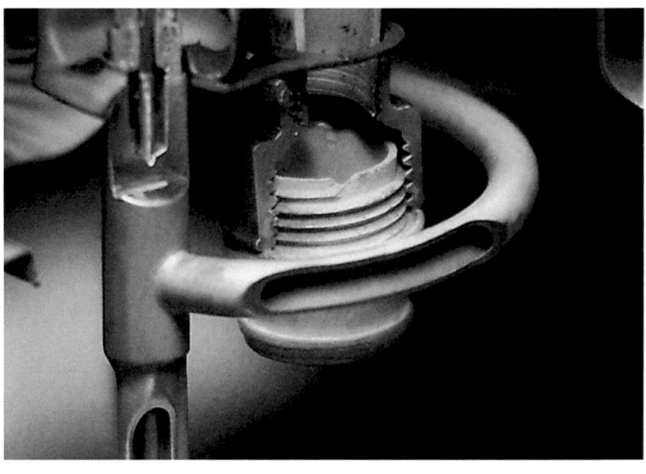

달팽이관(연료 이동관)

챔버(노즐 연결대)

세라믹 노즐(화구)

기화기 뭉치(제네레이터)

[TPIS]

챔버와 세라믹 노즐을 체결할때,반드시, 고온접착제를 바른후, 돌려끼워야 랜턴이 작동시 쉽게 풀리지 않는다. 사용후 풀려있는지를 체크해야 화염에 휩싸이는 상황을 면할 수 있다.

세라믹 노즐은 소모품으로 과한 힘을 주어 돌려 끼울시 깨지기 쉽다.

챔버(노즐 연결대)

믹싱튜브와 세라믹 노즐(화구)를 연결해 주는 통로 역할 및 연료 / 공기를 한번 더 넓은공간으로 섞이게 해준다.

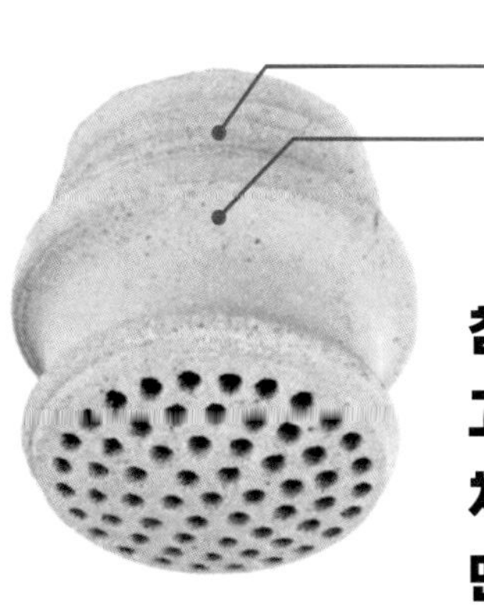

세라믹 노즐(화구)

맨틀 써포트
(심지가 묶이는 곳)

챔버 하단에 맨틀을 묶고 연료&공기가 섞인기체가 작은 구멍을 통해 맨틀에 고르게 뿜어져 나아가도록 하는 역할.

PETROMAX 500CP 랜턴 작동원리

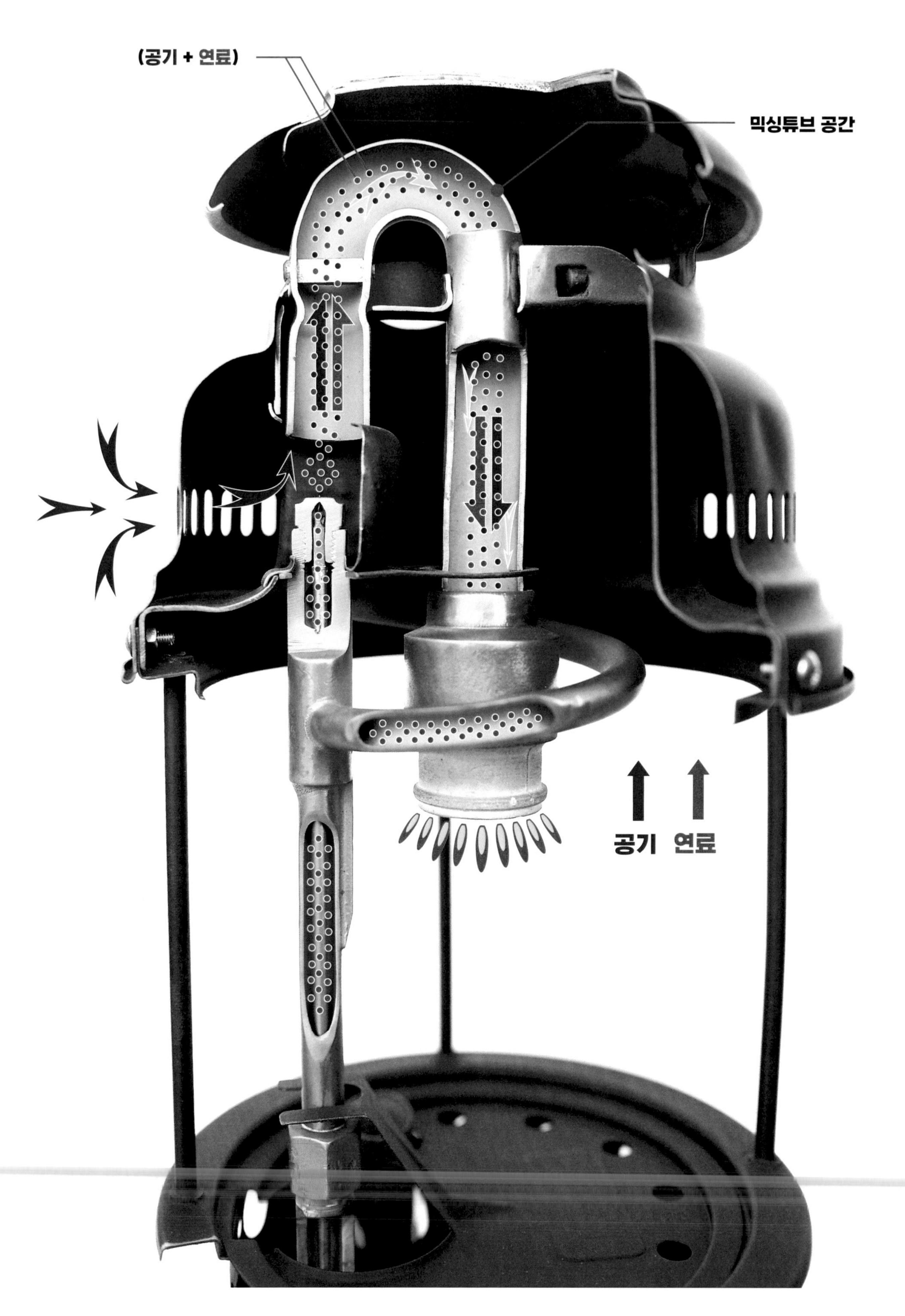

PETROMAX 랜턴 기화기

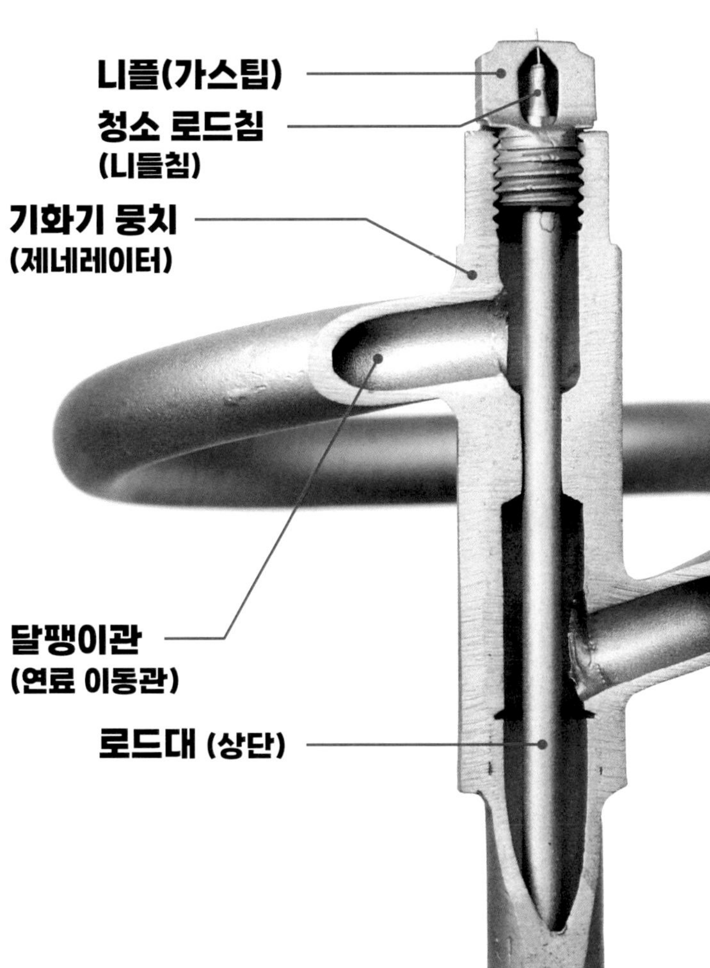

페트로막스 랜턴의 상단부 제네레이터 (기화기) 부품이다. 등유렌턴의 특징 중 하나인 예열관 (달팽이관) 이 붙어 있다.
등유의 특성상 끓는점이 180도 ~ 250도로 상온상태에서 쉽게 불이 붙지않기에, 충분한 예열 및 작동 중 맨틀의 열기를 이용해서 액체상태에서 기체상태로 만들어 불이 원할하게 붙게 만드는 구조 형태이다.

[TIPS]
아래 이미지를 참고하면, 등유연료가 달팽이관 (연료 이동관)을 통해 이동하는 모습을 볼 수 있다. 동시에, 청소 로드침(니들)의 상 / 하 움직임으로 가스팁(니플) 구멍을 뚫어주는 모습도 볼 수 있다.

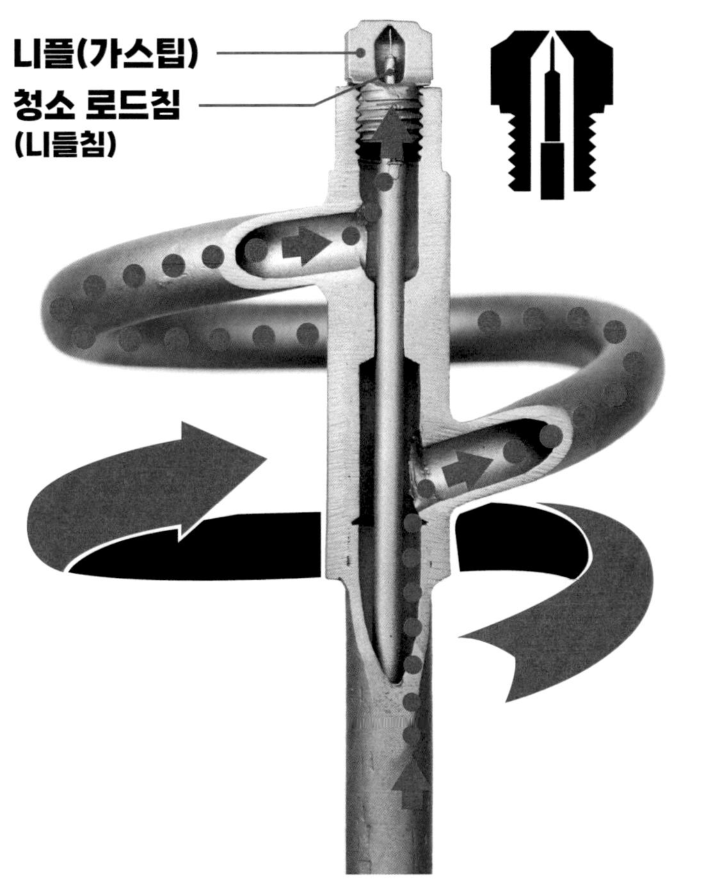

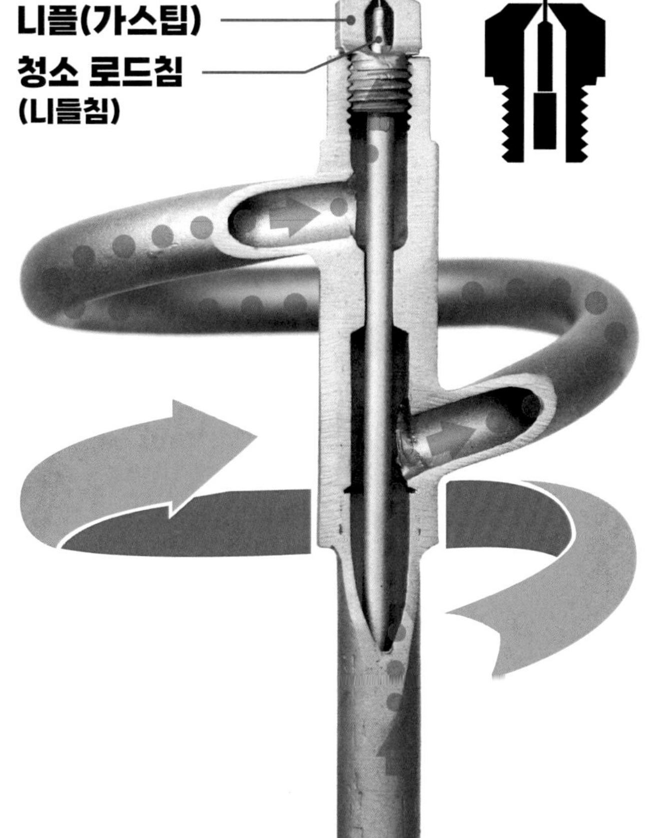

PETROMAX 랜턴 청소침 (니들)

제네레이터(기화기) 상단에 가스팁(니플)과 청소침 (니들) 교체 작업 과정이다. 니들렌치를 이용 해서 로드대 상단부의 청소침 (니들) 을 빼내고 다시 교환해서 심는 작업.

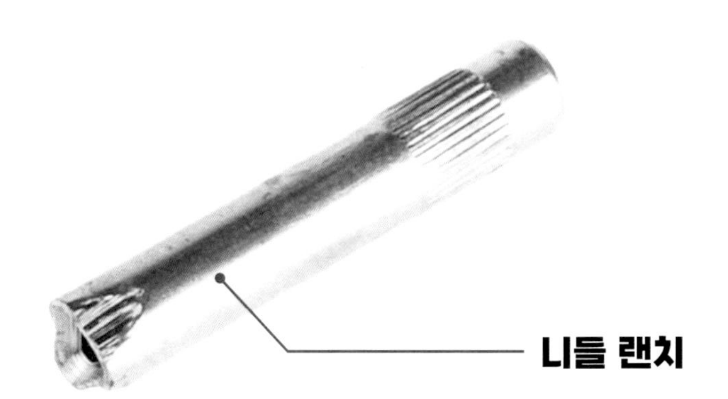

니들 랜치

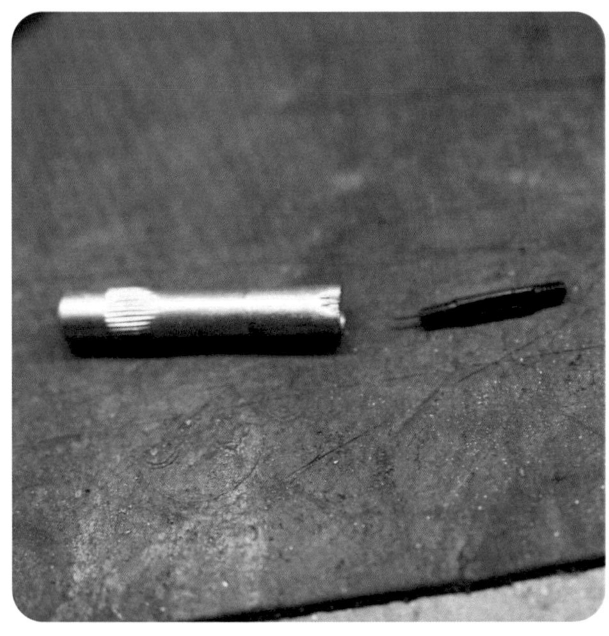

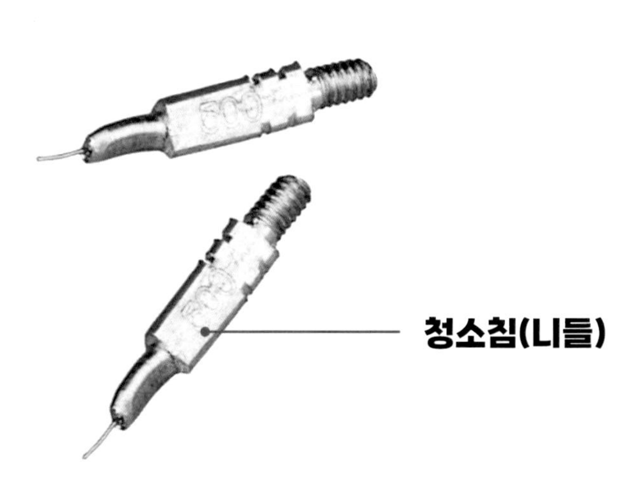

청소침(니들)

PETROMAX 랜턴 가스팁 (니플)

제네레이터(기화기) 상단에 가스팁(니플)과 청소침 (니들) 교체 작업 과정이다. 니들렌치를 이용 해서 청소침 (니들) 을 교체했다면, 이번에는 가스팁(니플)을 교체하는 작업 과정이다.

가스팁 (니플)을 체결할때는 풀림방지를 위해 고열 (내화)접착제를 발라 체결을 해야 한다.

PETROMAX 랜턴 가스팁 (니플)

고열 (내화) 접착제를 발라 손으로 가볍게 체결한 상태에서 좀더, 꽈악~! 체결을 위해 전용 렌치를 이용해본다. 전용렌치를 이용해서 체결 시, 지나친 힘 (토크) 으로 인해, 니플이 부러지거나 털릴 수 있으니 조심해야 한다.

PETROMAX 랜턴 하부 기화기

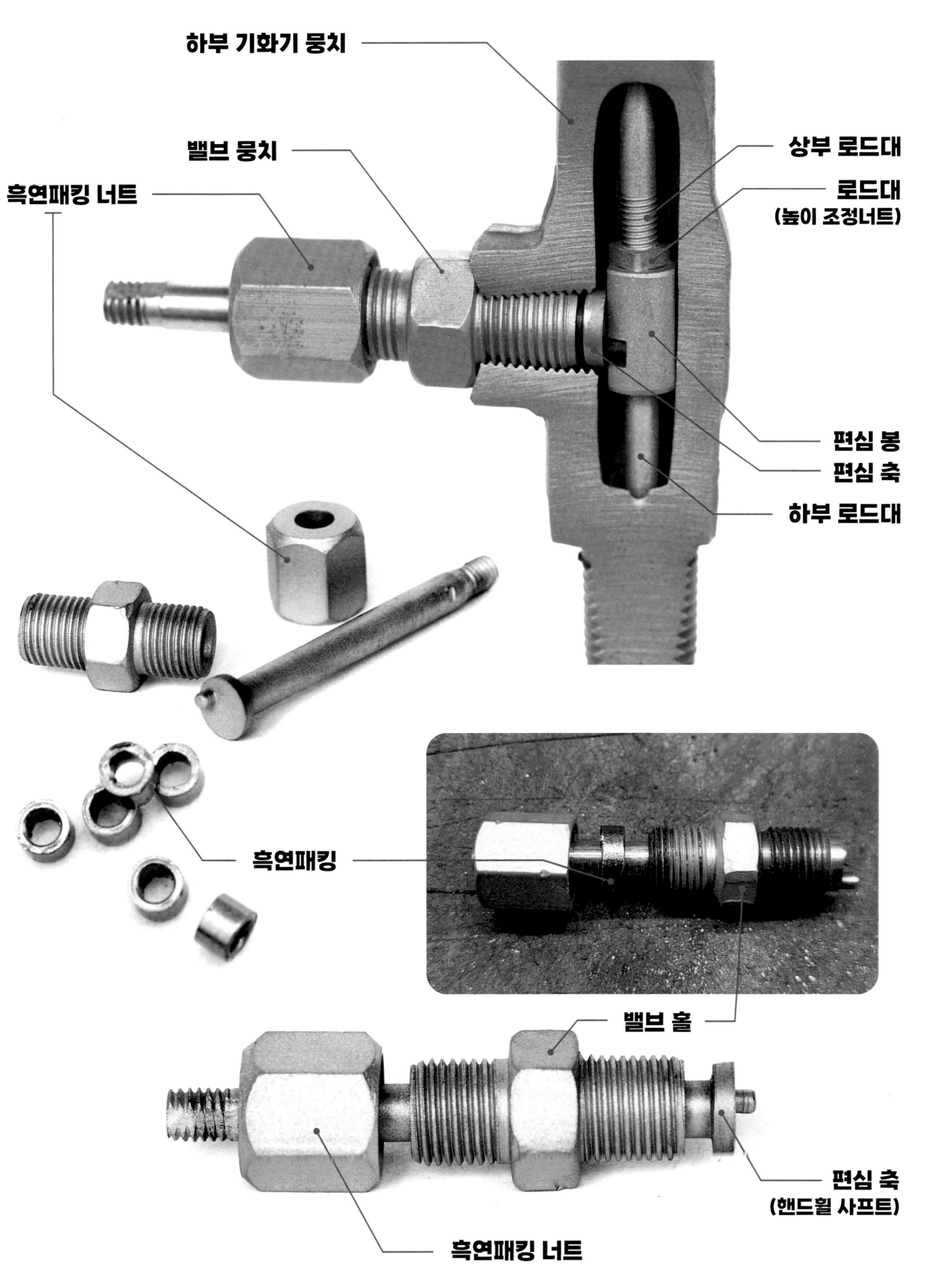

PETROMAX 랜턴 하부 기화기

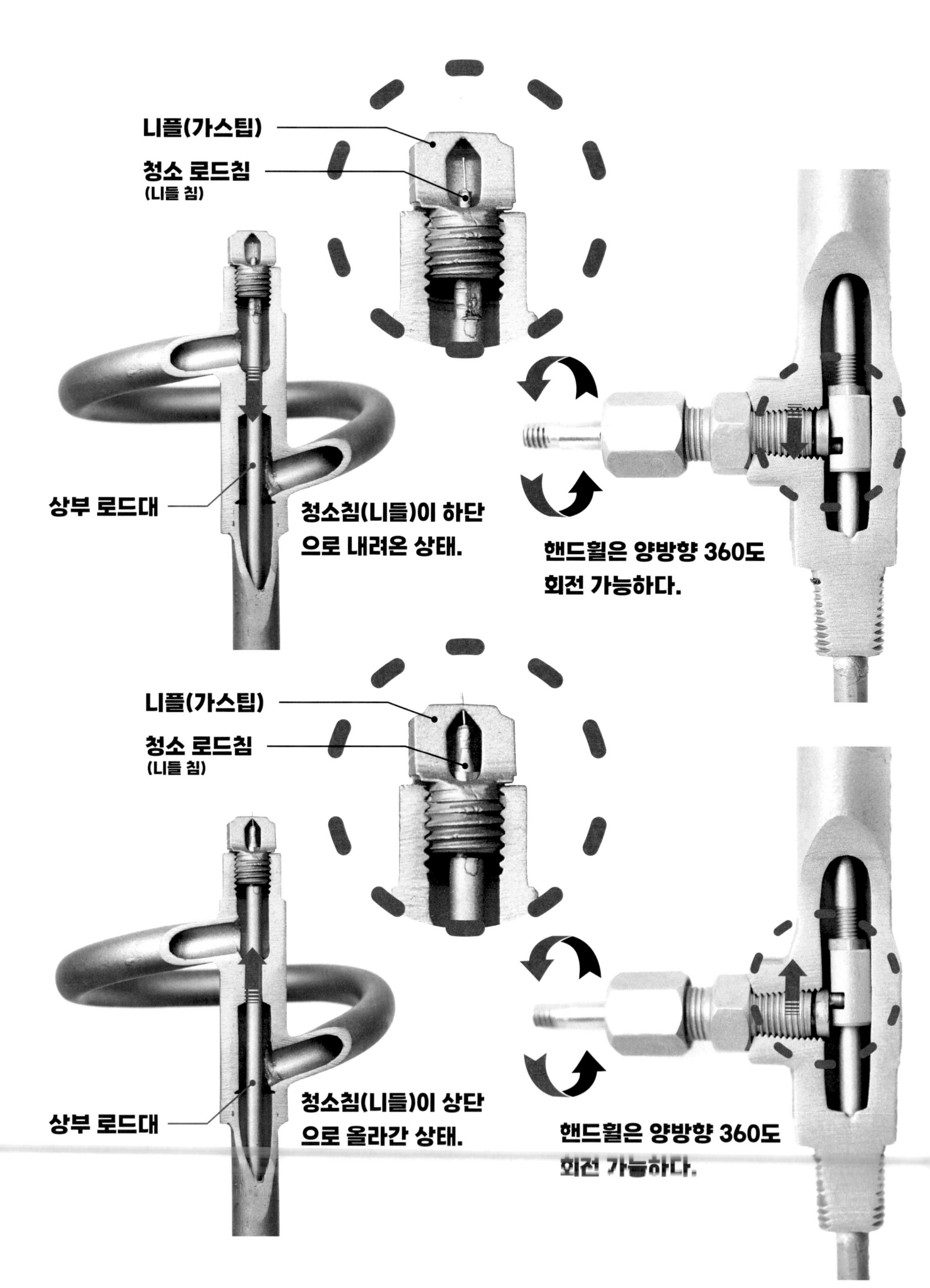

니플(가스팁)
청소 로드침
(니들 침)
상부 로드대
청소침(니들)이 하단
으로 내려온 상태.
핸드휠은 양방향 360도
회전 가능하다.
니플(가스팁)
청소 로드침
(니들 침)
상부 로드대
청소침(니들)이 상단
으로 올라간 상태.
핸드휠은 양방향 360도
회전 가능하다.

PETROMAX 랜턴 하부 기화기

[TIPS]

높이 조정너트 ;

로드대(니들대)중앙부분에 위치한 높이조정 너트를 이용하면 상단부 로드대 높이 조절이 가능하다.

이 너트를 이용해서 조절을 하게되면, 로드대 상단부에 청소침(니들)의 끝단높이를 가스팁(니플) 위로 얼마만큼 솟아 나오게 간격을 조절 할 수 있다.

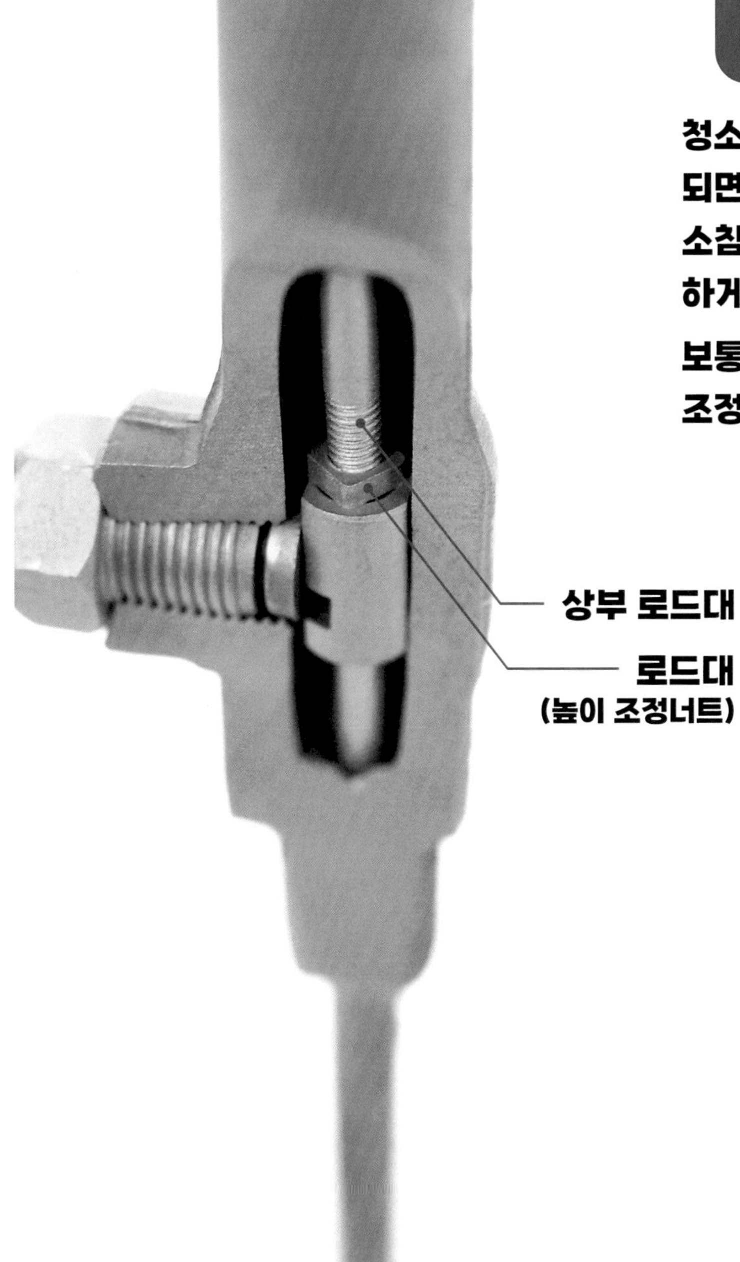

청소침(니들)이 가스팁(니플) 위로 많이 나오게 되면, 하단으로 내릴 시 가스팁(니플)안에서 청소침이 많이 내려가지 않기때문에 등유가 원할하게 통과 하는데 방해가 될 수 있다.

보통 저자의 경우, 1 ~ 2 mm 이상 안올라오게 조정한다.

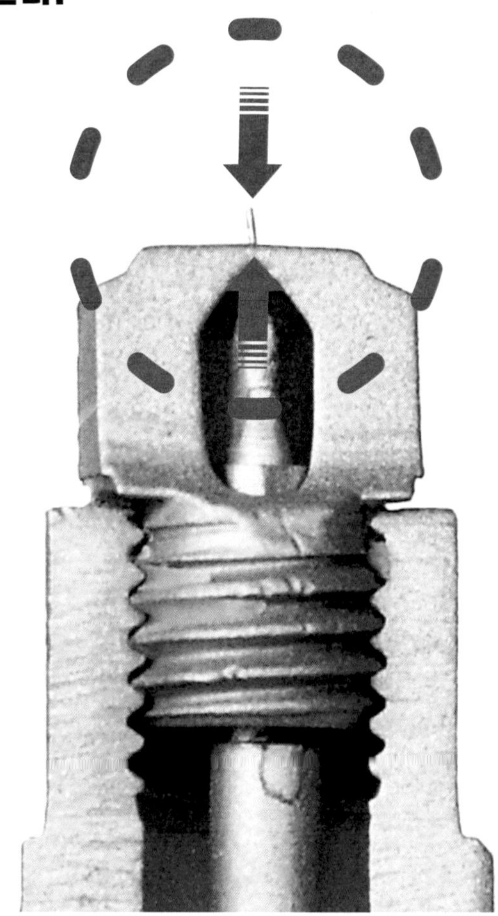

PETROMAX 랜턴 하부 부품

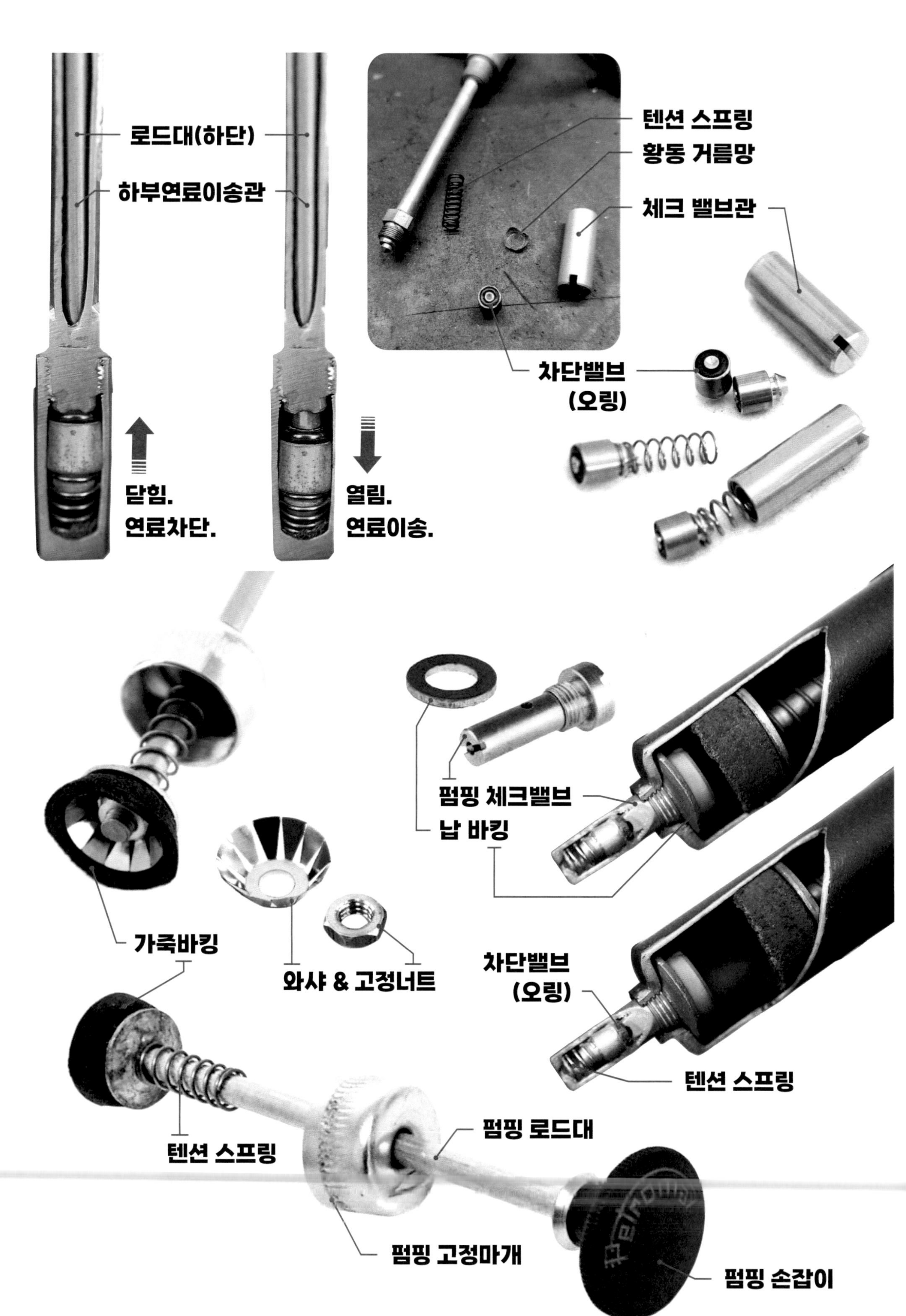

PETROMAX 랜턴 예열기(알콜 예열컵)

토치 튜브

알콜이 들어가는 구멍

알콜 예열컵

알콜 예열중인 모습.

알콜 예열은 인내심이 필요하다. 계절별로 예열횟수의 차이가 나는데 그 이유는 대기온도 차이 때문에 여름보다는 겨울에 좀더 장시간 예열작업 및 예열횟수를 늘려서 충분한 예열이 되도록 해야한다.

알콜 예열중 알콜이 소진되었을 시, 제급유를 해야할때 항상 조심해야 한다. 자칫, 알콜통에 불이 붙어 터질 수 있는 상황이 올수도 있기 때문이다. 그러한 상황을 방지하기위해, 알콜주유기의 대롱길이를 최소 5cm 이상의 긴 대롱을 사용해야 불이 대롱을 타고 들어와 붙는 불상사를 막을 수 있다.

알콜 주유기의 대롱길이가 길어야 하는 이유는 예열중인 알콜컵에 알콜이 떨어졌을 때, 완전히 꺼진상태라면 대롱이 짧아도 상관없이 주유가 가능하지만, 알콜 불이 잘 보이지 않기때문에 대부분 그냥 주유하다가 불이 대롱 파이프 속으로 타고 들어와 사고가 발생한다. 알콜 주유기 대롱이 길면, 길수록 알콜컵에 남아있는 불씨가 대롱을 통해 타고 들어오기전에 꺼진다.

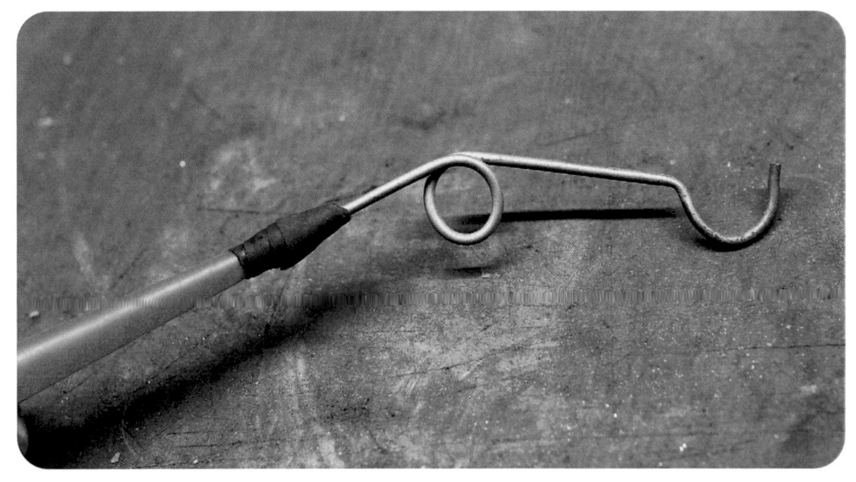

PETROMAX 랜턴 예열기(토치부)

상단 노즐캡
내측 노즐 몸통부
이송관 고정 너트
틸트레버
(Tilt Lever)
튜브
연료이송관
연료이송관
[TIPS]
페트로막스 랜턴에는 예열 토치부가
달려있다. 등유랜턴은 대부분 알콜예열을 할 수 있도록 접시나
컵이 존재하는데, 페트로막스 랜턴에는 아주 미세하게 등유를
뿜어, 직접적으로 열기를 기화기 라인에 쏴주면서 예열을 할 수
있다. 다만, 기화기 (제네레이터)가 토치의 지나친 한쪽방향 열기
로 인해 휨현상이 발생할 수 있기에 되도록이면 알콜 예열을 추천한다.
하부 연료 거름망
(황동)
틸트레버 (Tilt Lever)
연료이송관
노즐 차단밸브
상단 노즐캡
하부 연료 거름망
(황동)
연료이송관
이송관 고정 너트
내측 노즐 몸통부

PETROMAX 랜턴 연료 압력게이지 캡

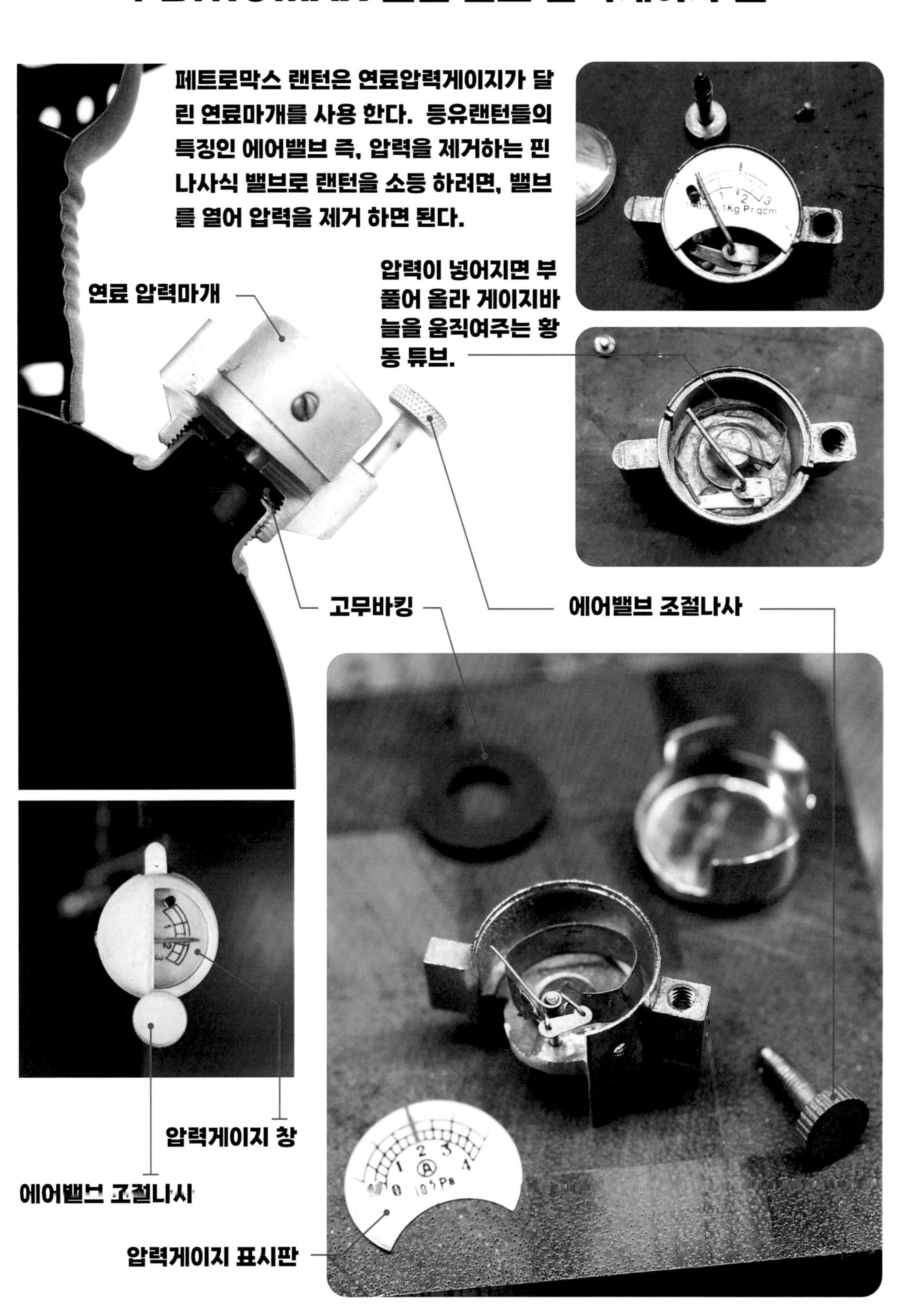

페트로막스 랜턴은 연료압력게이지가 달린 연료마개를 사용 한다. 등유랜턴들의 특징인 에어밸브 즉, 압력을 제거하는 핀 나사식 밸브로 랜턴을 소등 하려면, 밸브를 열어 압력을 제거 하면 된다.

PETROMAX 랜턴 연료통

페트로막스 500cp 연료통의 기본 모습이다.
각 전장부품들이 끼워지는 구멍 위치와 연료통 내측부 형태를 봐본다. 외부로 토치부, 연료주입구, 기화기 하단부가 끼워지는 3개의 구멍과 펌핑로드대가 끼워지는 하나의 홀이 존재 한다.

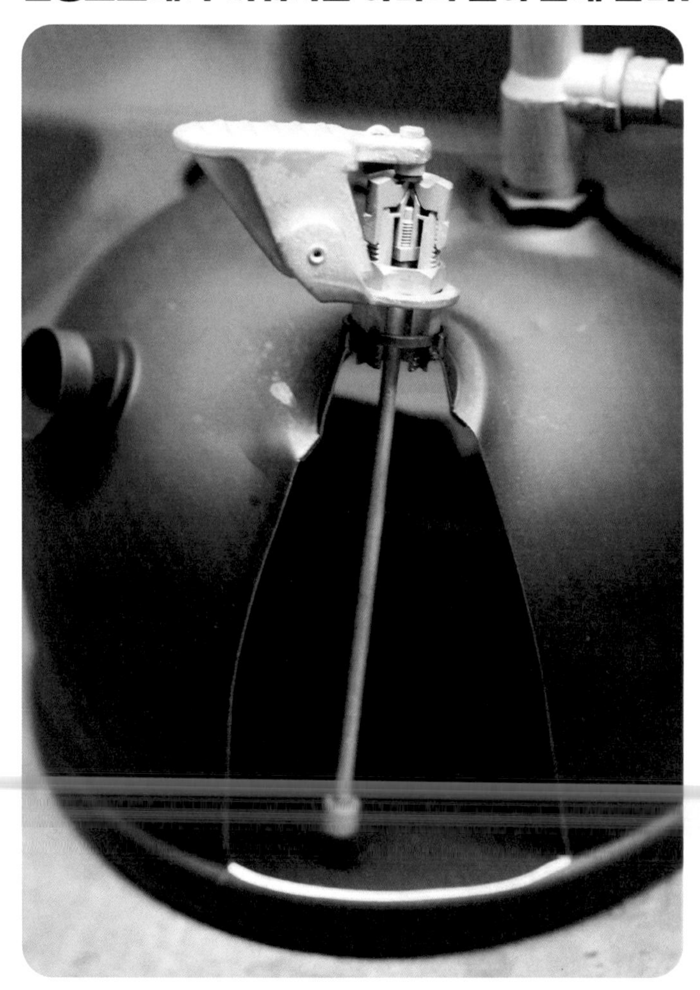

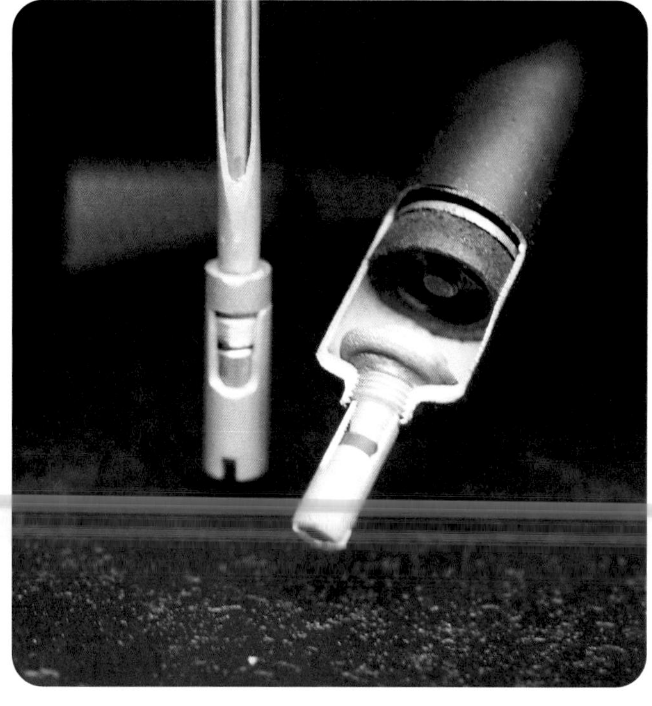

페트로막스 정비 & 수리작업

1

페럼사 황동버전 페트로막스 500cp랜턴 정비가 들어왔다.

4

전체 조율 및 정비로 방향을 잡고 시작해 본다.

2

상단 후드부를 벗겨 본다.

5

믹싱튜브 조절 나사. (믹싱튜브 라인에 공기 흐름방향을 바꿔주는 역할)

3

몇번 사용하고, 방치한 흔적이다.

6

기화기부,가스팁 (니플)과 청소침 (니들) 의 모습.

7

상단 프레임고정 볼트를 풀어낸 후, 분해를 시작한다.

8

연료통 내측부 상태도 양호한 편이다.

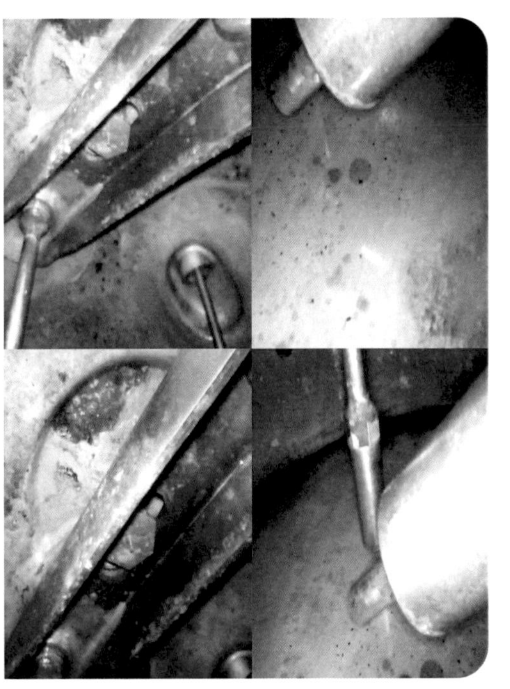

9

역시나, 중국생산품에 부품재질의 문제도 있겠지만, 열기로 인한 기화기 상단부가 휨과 열 변형이 있다.

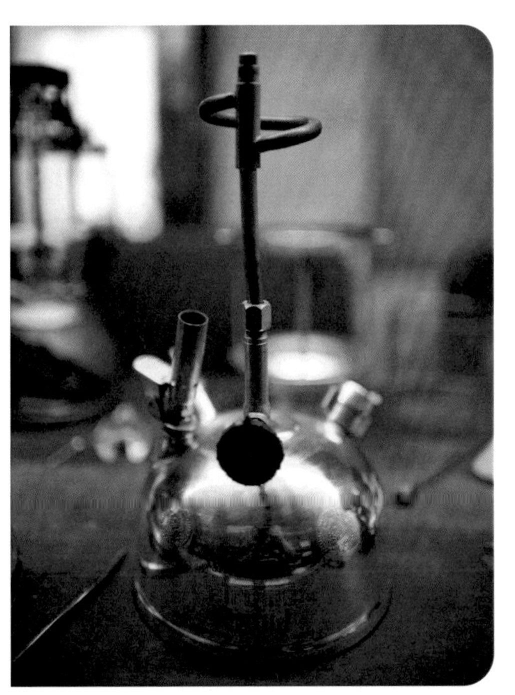

10

전용 렌치를 이용해서, 가스팁(니플)을 분리시킨다.

11

가스팁을 분리시키면, 내측부에는 청소침(니들) 이 보인다. 청소침도 부러짐없이 잘 견더주고 있는 상태다.

12

니들 전용렌치를 이용해서 사용했던 청소침(니들)을 분리시킨다.

13

페트로막스 스페어 킷에 들어있는 전용렌치와 니들렌치 및 가스팁(니플)과 청소침(니들)의 분리해둔 모습이다.

14

상단 기화기라인에는 열기로 인한 휨변형을 줄이기위해,기둥상단부에 덧되어진 지지막대를 볼 수 있다.

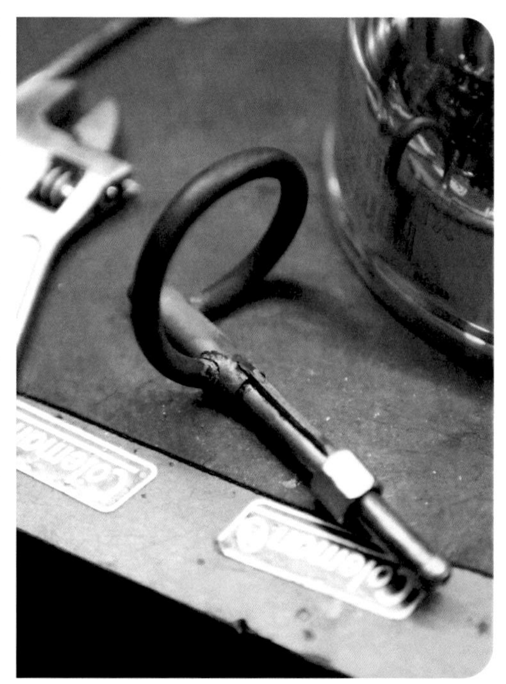

15

기화기를 빼낸 후, 로드대 (니들대)모습을 봐보면, 카본이 축척된 흔적을 볼 수있다. 축척된 양으로 사용한 기간을 짐작해 볼 수 있다.

16

예열토치부 라인의 상태를 확인 해본다.

17

토치부 기밀유지를 위한 고무바킹 경화도를 체크해본다.

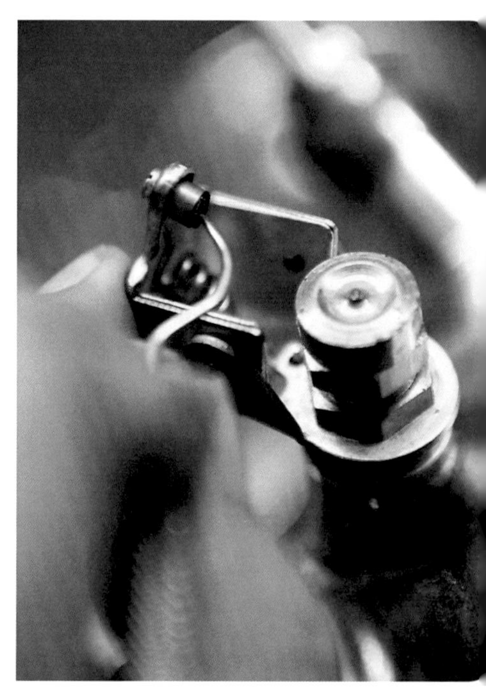

18

연료 압력마개 고무바킹 경화 확인 및 새부품으로 교체작업을 진행한다.

19

로드대에 쌓인 카본을 털어내기전 모습이다.

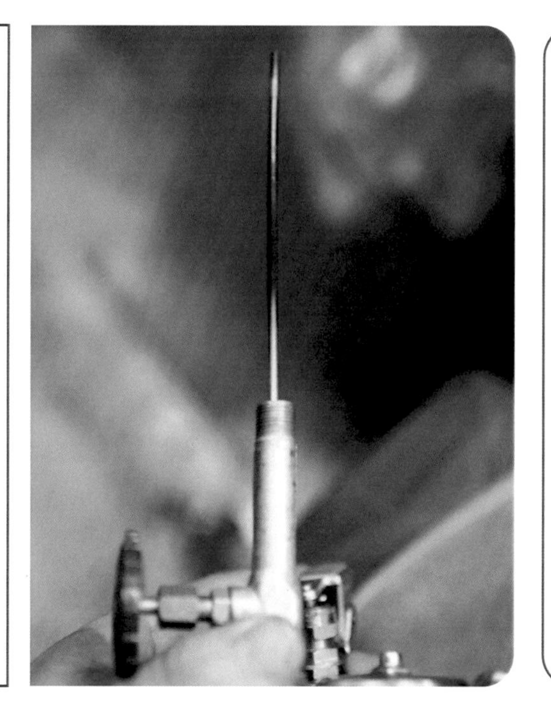

20

사용빈도가 낮아 전체분해는 뒤로하고,부분정비로 방향을 잡고, 깨끗히 털어 낸다.

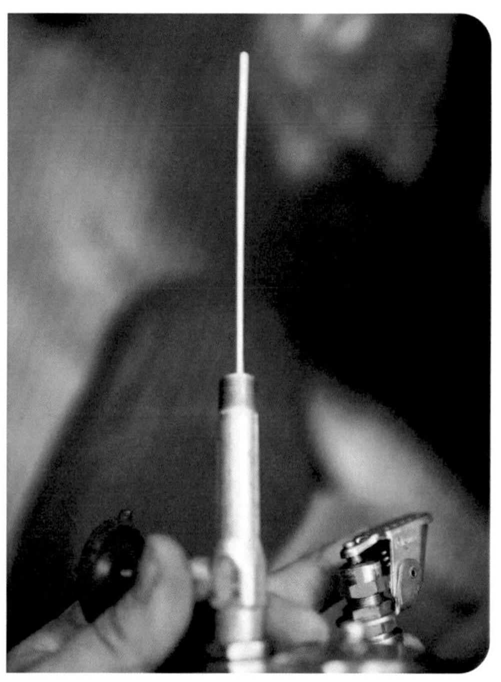

21

상단부 기화기 속은 예외없이, 황동꼬질대와 약품으로 크리닉작업을 진행한다.

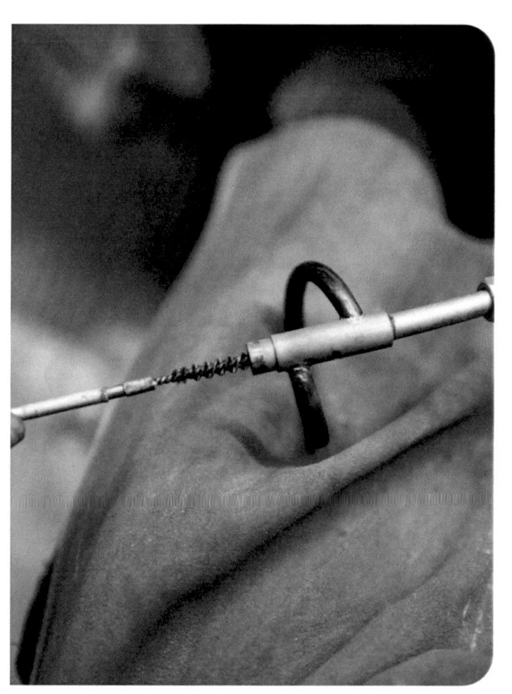

22

크리닉을 진행한 기화기를 다시, 세워 방향을 잡고 조립후, 청소침(니들)을 심을 차례다.

23

전용렌치를 이용해서 조심스럽게 적당한 토크로 조여준다.

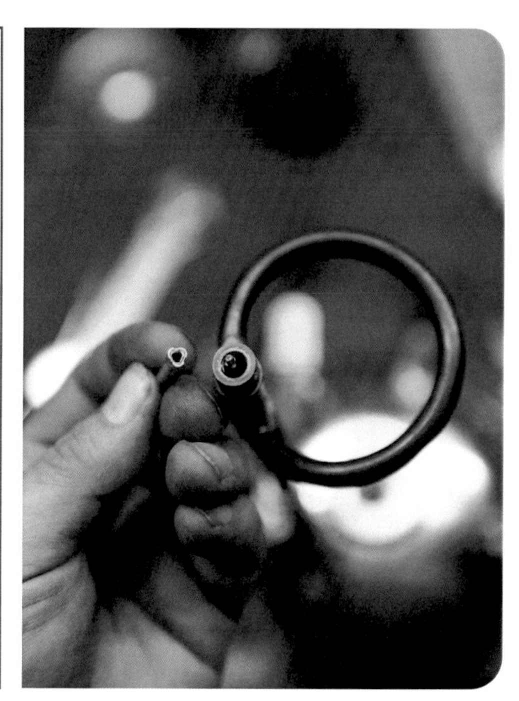

24

기화기 안쪽,로드대 상단부에 올려진 청소침(니들) 상태를 확인 한다.

25

가스팁 (니플) 을 체결할 차례다. 고열멘더를 바른 후, 체결을 해야만 장시간 풀리지않고 버틴다.

26

전용렌치를 이용해서, 적당한 토크로 돌려 체결한다.

27

펌핑라인 가죽 바킹에 전용오일을 듬뿍 발라 끼워준다.

28

세라믹 노즐은 이미 생을다해 깨져있고, 노즐을 끼우는 챔버는 헐거운 상태다.

29

챔버라인부터 고열멘더를 바른 후, 단단히 체결 해준다. 가장 고열에노출되는 부위이며, 매번 사용시 체크가 필요한 부분이다.

30

세라믹 노즐을 새부품으로 교체작업을 해준다. 고열멘더를 바른 후,끼우는데, 너무 힘을 주면, 깨져버리기에 적당한 토크로 체결해 줘야 한다.

31

이너케이싱 내
측부 챔버와 세
라믹 노즐을 단
단히 체결한 모
습이다.

32

맨틀 (심지) 를
미리 매달아놓
는다.

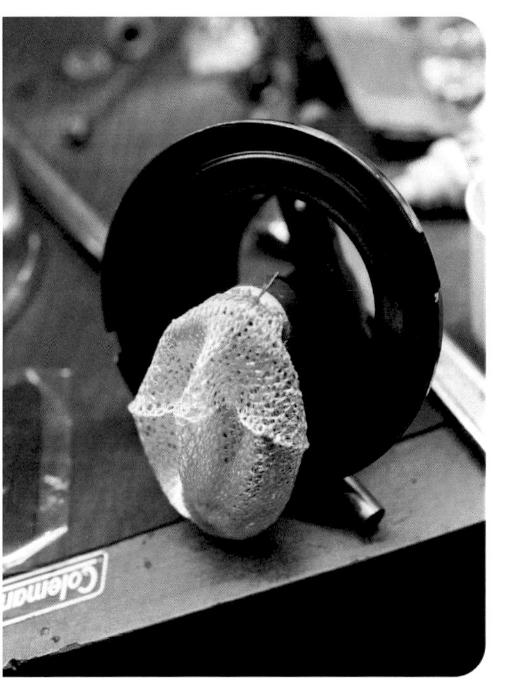

33

전용렌치의 끝
단을 이용해서
가스팁과 믹싱
튜브라인의 간
격을 조절하는
모습이다.

34

간격을 조절후,
상단부 믹싱튜
브 고정나사를
이용해서 단단
히 조여준다.

35

전장 조립을 모
두 끝낸 후, 알
콜예열컵에 알
콜주입기로 예
열준비를 한다.

36

알콜예열을 반
복하여 진행을
하는데, 예열
토치부를 사용
안하는 이유는
기화기 변형을
조금이나마 막
기위한 방법이
다.

37

알콜을 이용해서 예열 시, 핸드휠은 6시 방향으로 고정 및 에어밸브도 열어둔 상태로 진행한다.

38

충분히 예열이 진행 되었다고 판단된다면, 펌핑을 진행할 차례다.

39

먼저, 에어밸브를 잠그고, 천천히 펌핑을 하면, 잔여 알콜불로 인해, 심지에 불이 붙으면서, 밝게 빛이 나기 시작한다.

40

압력게이지의 빨간 라인선을 넘게 압력을 넣어 주면 된다.

41

이너케이싱을 제대로 체결해줬다면, 불은 넘침없이 잘 달려줄거다.

42

만약 불이 넘쳐, 상단부로 화염이 올라온다면 ,가스팁의 문제나 예열부족현상 아니면, 이너케이싱 내측부품들이 제대로 조립이 안된 상태일 수 있다.

페트로막스 500CP 정비 & 수리작업

1

페럼사 페트로 막스 500cp 랜턴 이다.

2

상단 후드부와 이너케이싱을 벗겨 본다.

3

불쇼를 상단히 많이한 흔적이 보인다.

4

기화기는 그을음으로 가득한 상태다.

5

로드대의 카본을 털어내고,크리닉 작업으로 정리를 해둔다.

6

가스팁 (니플) 과 청소침 (니들) 을 교체하기전 부품 모습이다.

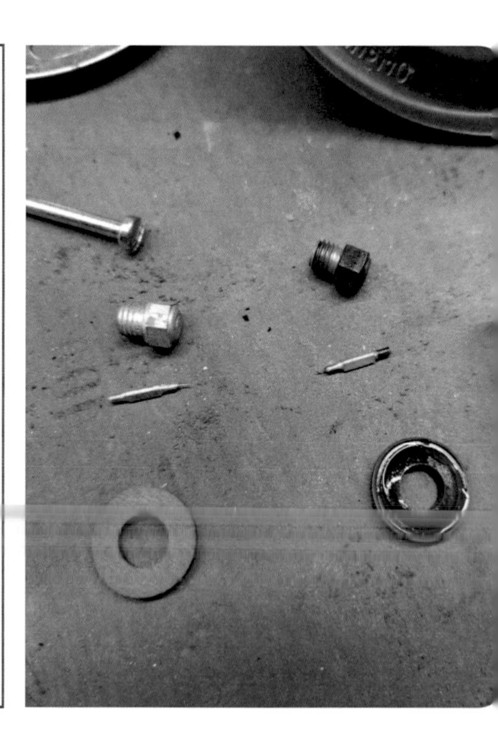

7

니들 전용렌치를 이용해서 새 청소침(니들)을 끼워넣고 고정시킨다.

8

기화기와 새청소침을 조립한 상태다.

9

고열멘더를 가스팁 (니플) 의 나사선에 바르기전 모습이다.

10

고열멘더를 바른 가스팁 (니플) 상태다.

11

가스팁 (니플) 을 체결할 차례다. 고열멘더를 바른 후,체결을 하면,좀더 오랜 시간 풀리지 않는다.

12

가스팁 (니플) 을 끼워 넣었으면 이제, 조여줘야 한다.

13

가스팁 (니플) 을손으로만 돌려 고정시켜놓은 상태다.

14

전용렌치를 이용해서 가스팁 (니플) 을 적당한 토크로 돌려 체결해줘야 한다.

15

상단 프레임을 조립해 올린다.

16

믹싱튜브 조절 나사. (믹싱튜브 라인에 공기 흐름 방향을 조절해 주는 역할)

17

세라믹 노즐은 털어만 냈거고, 노즐을 끼우는 챔버는 헐거운 상태다.

18

챔버체결 상단부인 믹싱튜브 나사선에 고열 멘더를 바른다.

19

챔버를 끼운후, 단단히 체결해 준다.

20

가장 고열에 노출되는 부위이며, 매번 사용시 체크가 필요한 부분이다.

21

세라믹 노즐에 고열멘더를 바른 후,끼운다.

22

너무 힘을주면, 깨져버리기에 적당한 토크로 체결해줘야 한다.

23

맨틀 (심지) 를 매달 준비를 한다.

24

전용렌치의 끝단을 이용해서 가스팁과 믹싱 튜브라인의 간격을 조절하는 모습이다.

25

간격 조절 후, 상단부 믹싱튜브 고정나사를 이용해서 단단히 조여준다.

28

페트로막스의 각 부품쪽 체결시, 주요부위는 납으로된 바킹을 사용 한다. 그당시, 내유성 고무재질이 없었기에, 석면이나 납재질의 바킹을 사용했다.

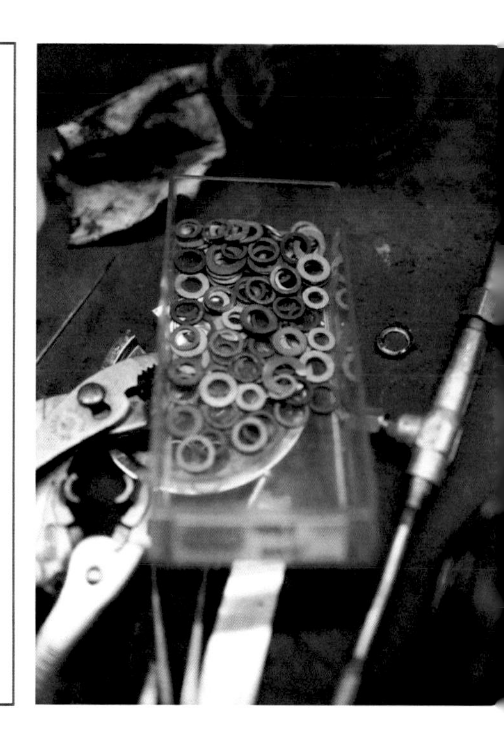

26

조이면서, 간격 라인의 단차가 생길 수 있으니 양쪽으로 잡아주면서 나사를 조여주면 된다.

29

기화기 라인과 하부라인 뭉치 및 하부 이송관 하단부는 연료 차단을 위한 체크밸브가 달려있다.

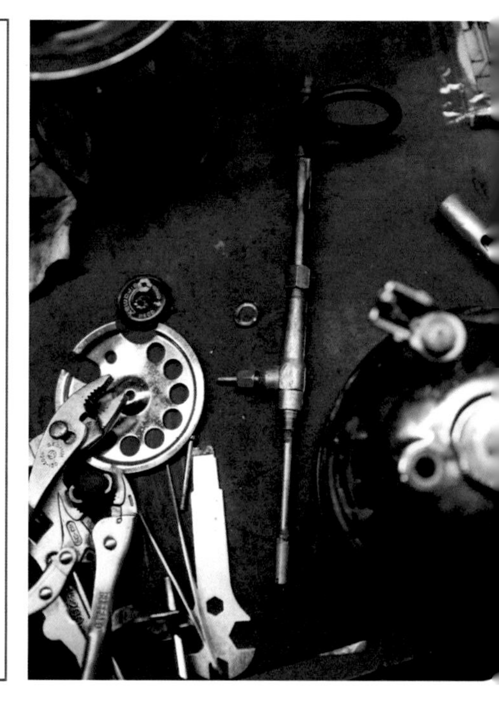

27

하부라인을 연료통에 고정 시키기전, 사이즈에 맞는 납재질 바킹 부품을 끼워넣는 작업을 해야 한다.

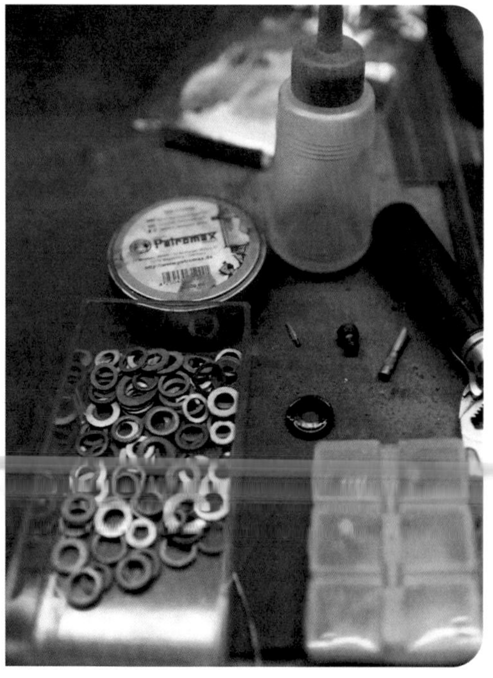

30

펌핑라인 가죽 바킹은 미싱오일통에 넣고 가죽상태를 부드럽게 불려준다.

31

펌핑 실린더에
펌핑로드대를
잘 끼워 넣고,
펌핑마개를 단
단히 체결한다.

32

전장조립후,핸
드휠 고정너트
를 조여준다.

33

예열작업 전,문
제의 압력게이
지 상태를 분해
후 살릴 수 있는
지 체크해본다.

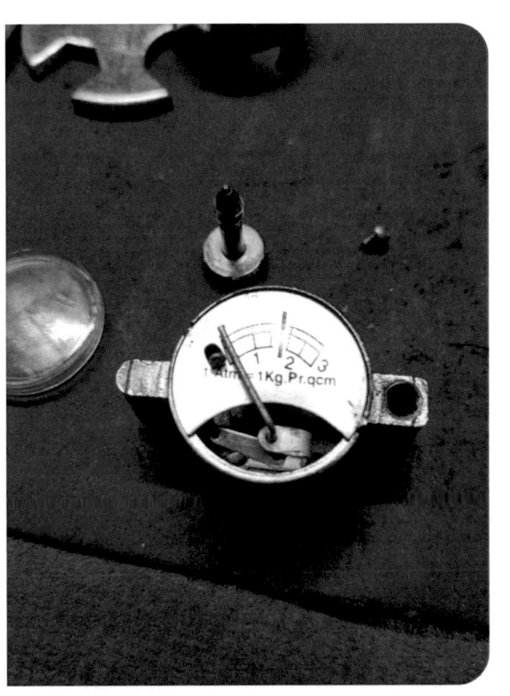

34

압력게이지 캡
은 새부품 교체
작업 수순으로
정리를 한다.

35

예열토치를 이
용해서 불을 붙
여 보기로 한다.

36

토치를 이용해
기화기 라인을
예열 후, 토치
를 닫고, 펌핑
을 시작한다.
압력 게이지의
빨간라인을 넘
어서까지 펌핑
을 해주면, 50
0cp의 눈부신
빛을 보여준다.

라디우스 (RADIUS) 119 랜턴 정비 & 수리작업

1

라디우스119라
는 랜턴이다.
조용하고, 큰
트러블 없이 잘
달려주는 랜턴
계의 황제라고
불리기도 한다.

2

오랜 방치와크
롬도금이 너무
지저분하게 벗
겨져 있어,전체
크롬을 벗겨내
는 작업을 진행
하기로 한다.

3

사실,라디우스
랜턴은 너무나
도 얇은 두께의
재질로 만들어
져 쉽게 찌그러
지고,크렉이 잘
가는 대표적인
단점을 갖고 있
다.

4

모래샌딩을 진
행하면서도,분
명 내구성은 더
욱 떨어질게 당
연한 상황인데,
그대로 진행하
는 방향으로 잡
았다.

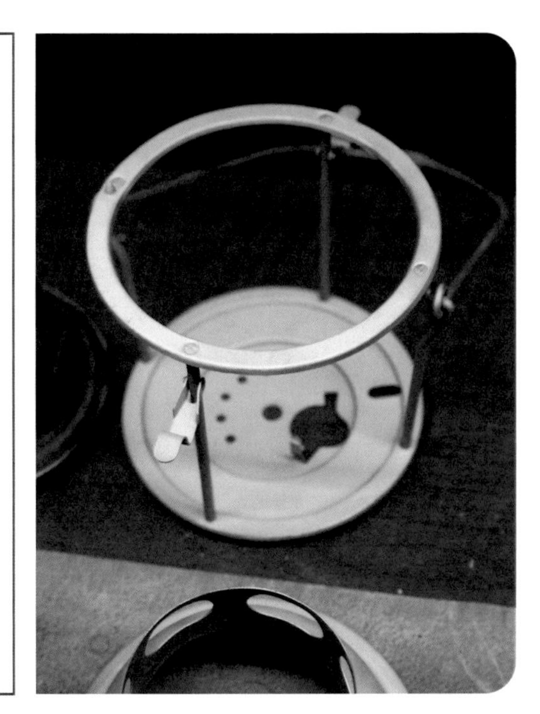

5

거기다 폴리싱
작업까지 더한
다.의뢰자분의
열정이 빛나는
순간이기도 하
다.

6

라디우스의 트
레이드 마크인,
별...

7

조심스럽게 연료통 내측부와 외측부 모두 털어내고, 폴리싱 작업까지 완성 후, 가조립을 해본다.

8

전장 조립 후, 알콜예열 작업으로 넘어간다.

9

적당한 예열 후, 에어밸브를 잠그고, 펌핑을 한다.

10

알콜 예열컵에 알콜을 담고,맨틀 (심지) 를 태우는 작업을 보여준다.

11

조용하면서도, 안정적인 불밝기와 불떨림 없는 모습을 보여준다.

하삭 (HASAG) 551L 랜턴 정비 & 수리작업

1

하삭 551L랜턴 이다.한번은 만나보고픈 랜턴을 정비해본다. 전장부품중,알콜예열컵 라인의 부품을 보고픈 이유기도 하다.

4

알콜 예열컵 부품 모습이 특이하다.

2

기화기 라인과 하단 하부로드 라인 형태의 모습을 봐본다.

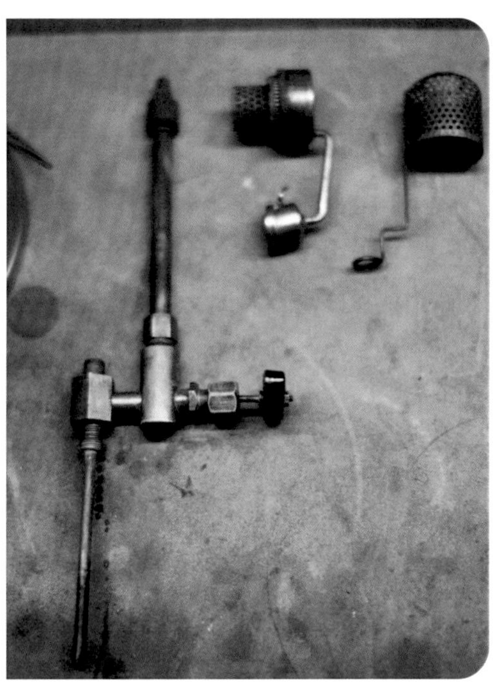

5

예열컵 내측부 유리섬유 대신 석면조각이 들어있다.

3

일자형태의 기화기전체 라인 모습과는 사뭇 다른 형태다.

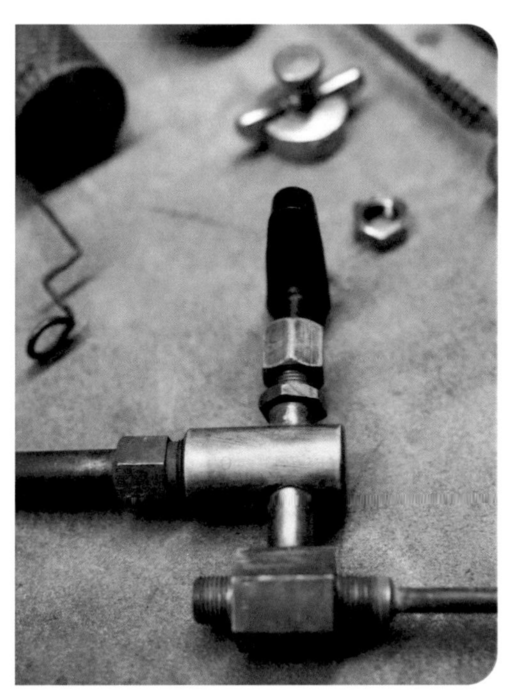

6

모래 샌딩으로 모두 털어낸 모습이다.

7

알콜예열컵 라인중, 알콜 주입하는 방식이 특이한 특징인 모습이다.

8

예열기의 화구부.

9

이중구조의 화구부 역시 특징이다.

10

본격적으로 기화기 라인전체를 오버홀 할 차례이다.

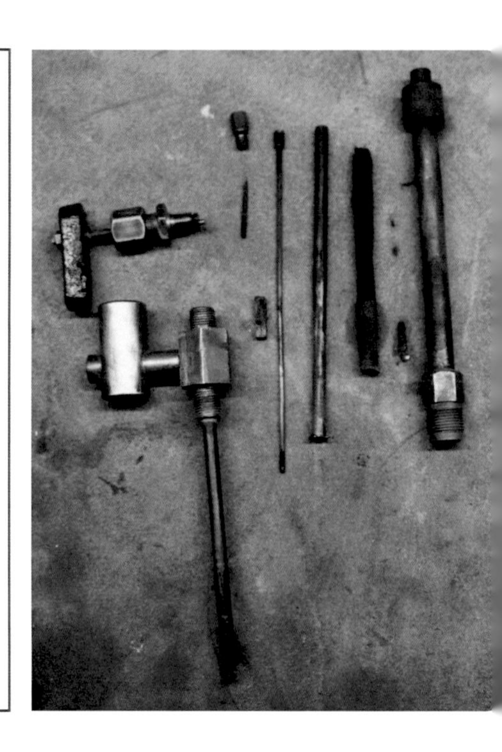

11

하부 연료 이송관 라인.

12

상단 기화기 내측부 찌든 상태의 모습.

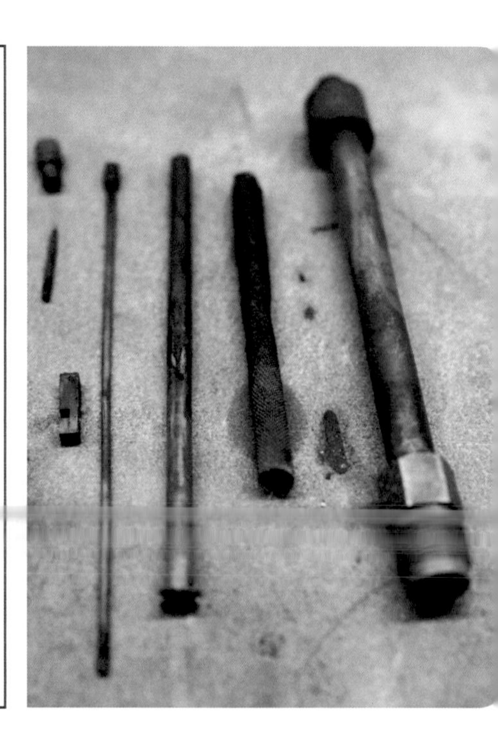

13

수명을다한 황동필터망을 교체 예정이다.

16

노즐부 라인 연료가 분사되는 망.

14

이너케이싱 모습 이다.

17

핸드휠 뒷 편심대 라인과 로드대,기화기 외측부와 하부 연료이송관 라인도 깨끗히 모래샌딩으로 정리를 한다.

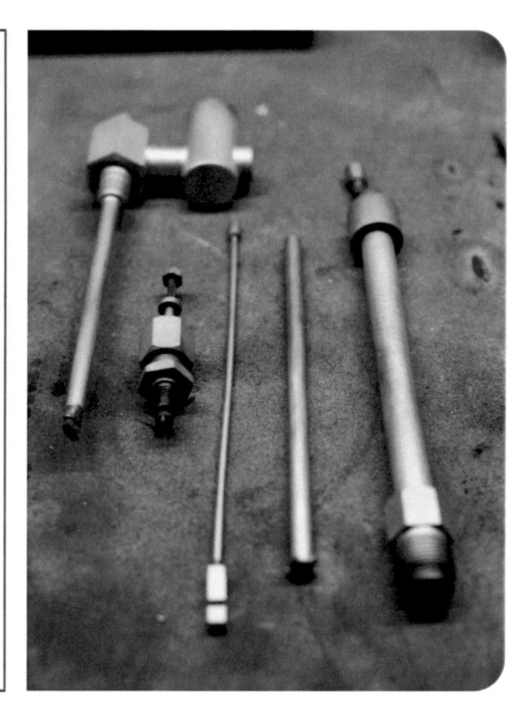

15

모래 샌딩으로 세월의 흔적을 모두 털어낸다.

18

가스팁 (니플)까지 모두정리한 상태로, 조립과정이 남았다.

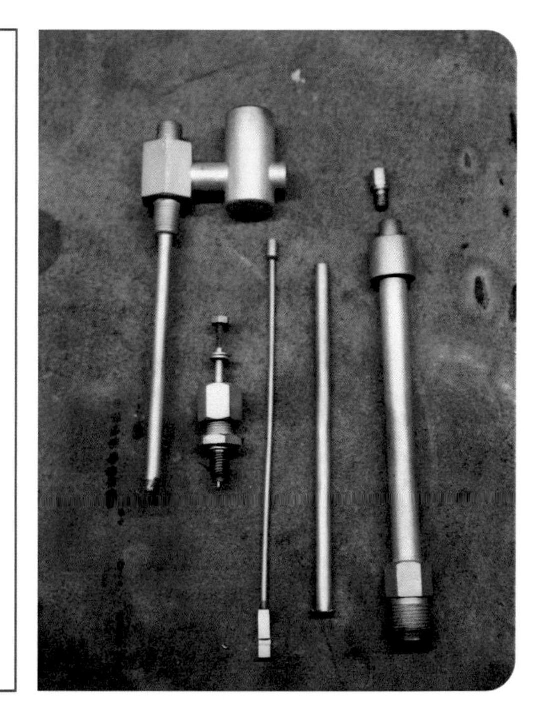

19

카본에 찌든 황동필터를 교체한다.

20

기화기 전체뭉치를 조립 후, 특이한 일자핸드휠까지 조립 완료한 상태다.

21

청소침 (니들)의 상태가 좋아 크리닉 작업 후 조심스럽게 다시 끼워 넣는다.

22

가스팁 (니플)을 체결 후, 청소침 상/하 움직까지 확인을 한다.

23

연료통 상단에 기화기 하부뭉치를 조립할 차례다. 사이즈에 맞는 납링을 찾아 끼워넣고, 기밀유지를 위해 단단히 조여준다.

24

기화기 라인과 연료통 라인이 완성된 모습이다.

25

전장 조립을 순
식간에 끝낸다.

26

맨틀 태우기와
기화기 예열을
위해 알콜예열
기에 알콜을 주
입할 차례다.

27

마치, 주유구캡
처럼 뚜껑을 열
고 그안에 알콜
을 부어 넣으면
된다.

28

이런 모습으로
예열기 라인에
알콜을 주유한
다.

29

예열컵에 넘치
지않을 정도의
알콜을 넣고,불
을 붙인다.

30

맨틀을 태우며,
반복적으로 알
콜을 주입해서
기화기를 충분
히 예열시킨다.

31

에어밸브를 잠그고, 펌핑을 시작한다. 맨틀에 불을 머금고, 펌핑압력에 맞춰 밝게 빛나기 시작한다.

32

방열판에 비추인 551 L 숫자.

33

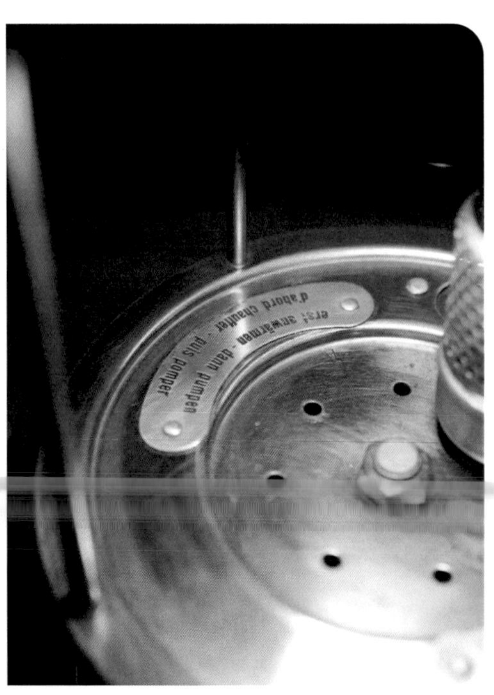

반대쪽에 적인 명판 글자들.

34

불꽃과 소음은 대체로 안정적이다.

35

압력 게이지의 숫자마저 엔틱한 모습을 보여준다.

36

오랜만에 보는 멋진 불꽃을 감상해본다.

Petromax 단면도 제작 Behind Story

1

1962년생 독일산 페트로막스 군용 폐급을 이용해서 만들었다.

2

단면제작 시기는 2019년 1월에 만들어 놓은 자료를 정리해 본다.

3

단면도 제작 후, 2022년 9월에 다시 촬영을해서 5년만에 등유랜턴 관련책을 만들어본다.

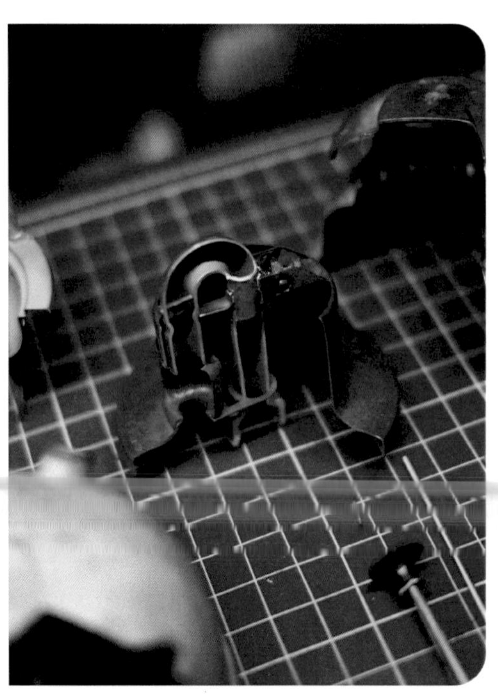

4

폐급 랜턴 부품을 지인분을 통해 그나마 어렵지않게 구할 수 있었다.

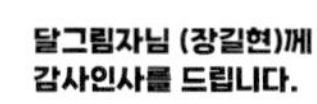
달그림자님 (장길현)께
감사인사를 드립니다.

5

모든 부품은 절단을 하기전, 전체 조립을 먼저 한다.

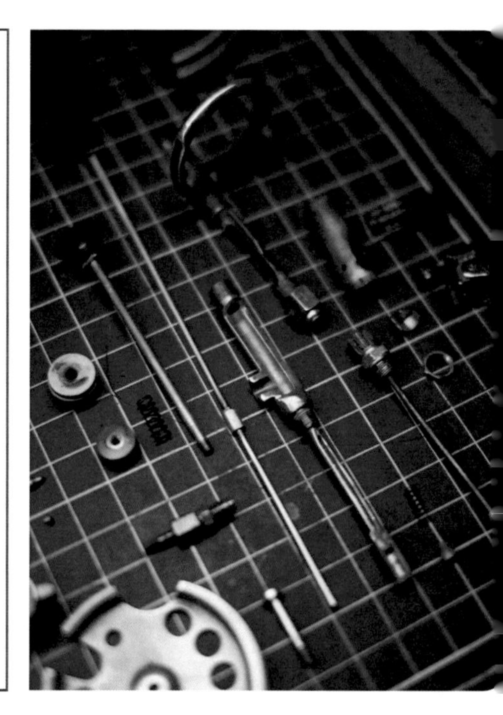

6

이후, 절단면 라인을 그려 넣고, 다시 분해를 한다.

7

부품 하나,하나 씩 바로 절단을 하는게 아닌,적당히 먼저 잘라 낸 후, 전체 단면을 맞추면서 면을 끊임없이 갈아낸다.

10

펌핑만 안될뿐 이지, 각부품별 작동 및 움직임을 차례로 볼수 있게 연동작업을 진행한다.

8

갈아내는 장비라고는 4인치 그라인더와 바이스 및 절단삭과 갈아내는 사포날 뿐이다.

11

작동이 원할하게 된다면, 다시 분해한다. 분해 후, 모두 모래샌딩과 비드샌딩작업으로 찌든때와 단면부위를 깨끗히 정리한다.

9

절단하고 갈아낸 부품들을 다시 조립을 한후, 이제 각부품의 작동원리를 볼 수 있게 작업을 해야 한다.

12

그런 후, 부품들은 그대로 보관을하여 단독 촬영을 한다. 외형부품들은 도장작업으로 정리 후, 촬영된 부품순으로 전체 조립을 다시 한다. 이후, 조립된 전체 랜턴 촬영으로 끝을 낸다.

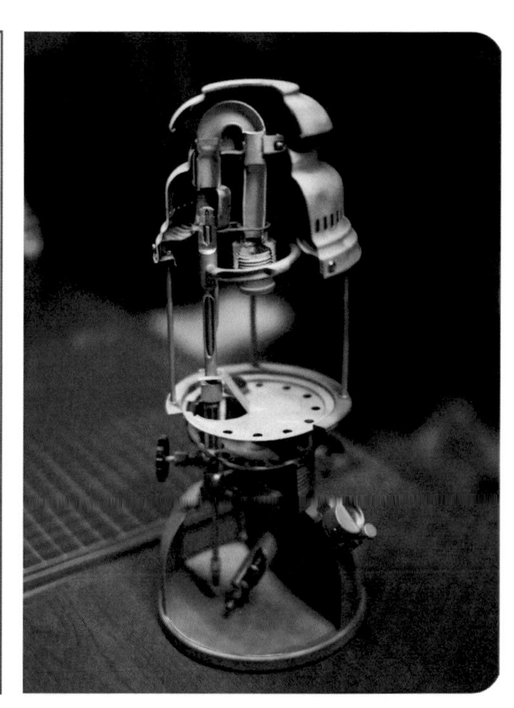

메바(Mewa) 폐급 랜턴 디오라마 작업

1

윗 렌턴과 동일 한 메바(mewa) 페급랜턴의 연료통을 절단 한다.

2

랜턴의 열기를 더이상 보여줄 수 없는 상태였기에 새롭게 탄생시 켜본다.

3

예비 부품으로 먼지만 쌓여가 기전,다른방향으로 살려내본다.

4

바로,디오라마 작업을 진행했다.

5

캠핑생활중,대표적인 텐트를 골라 미니어쳐를 만들어봤다. 리빙쉘 텐트다.

6

랜턴 방열판에 잔디를 심는다.

7

그런 후, 나무도 심는다. 과실수, 벚꽃나무.

8

주변에 바위도 들어 놔준다.

9

리빙쉘 주변에 화로대용 장작까지 놓아둔 후,

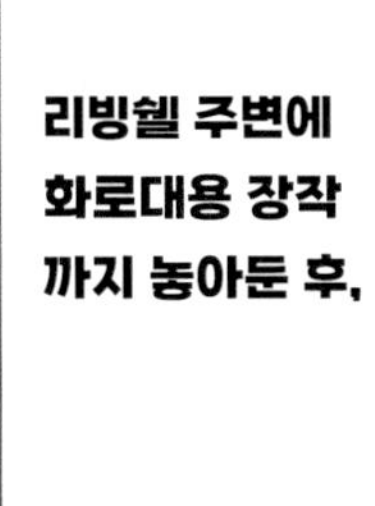

10

열기는 없지만 LED 빛을 천장에 매달아 켜준다.

12

메바(mewa) 랜턴 전용 글로브 (유리)를 구해서 끼워준다. 그럴싸하게 새롭게 태어난 메바(mewa)랜턴이다.

11

지하 세계는 더 더욱 활기찬 모습이다.

TILLEY VAPOURISER

photo by mir_camping_story

photo by mir_camping_story

photo by mmccoke_camper